Le cœur régulier

Du même auteur

Je vais bien, ne t'en fais pas
Le Dilettante, 2000
Pocket, 2001

À l'ouest
Éditions de l'Olivier, 2001
Pocket, 2001

Poids léger
Éditions de l'Olivier, 2002
Le Seuil, « Points » n° P1150

Passer l'hiver
Bourse Goncourt de la Nouvelle
Éditions de l'Olivier, 2004
Le Seuil, « Points » n° P1364

Falaises
Éditions de l'Olivier, 2005
Le Seuil, « Points » n° P1511

À l'abri de rien
Prix France Télévisions 2007
Prix Populiste 2007
Éditions de l'Olivier, 2007
Le Seuil, « Points » n° P1975

Des vents contraires
Prix RTL-Lire
Éditions de l'Olivier, 2008
Le Seuil, « Points » n° P2307

OLIVIER ADAM

Le cœur régulier

ÉDITIONS DE L'OLIVIER

ISBN 978.2.87929.746.0

Pour Karine

There is a crack in everything
That's how the light gets in

Leonard Cohen

I

C'est une nuit sans lune et c'est à peine si l'on distingue l'eau du ciel, les arbres des falaises, le sable des roches. Seules scintillent quelques lumières, de rares fenêtres allumées, une dizaine de lampadaires le long de la plage, deux autres aux abords du sanctuaire, le néon d'un bar, un distributeur de boissons, myriade de canettes multicolores sous l'éclairage cru. Plus grand monde ne s'attarde à cette heure. La fin de l'été a ravalé les touristes, les dernières cigales crissent dans les jardins de la pension, nous sommes fin septembre mais il fait encore tiède. Par la baie entrouverte monte la rumeur du ressac. S'y mêlent le froissement des feuilles, le balancement des bambous, les craquements des cèdres. Les singes se sont tus peu après la tombée du jour, tout à l'heure ils hurlaient de panique, puis l'obscurité a tout recouvert et ils ont renoncé. Je rentrais des falaises par ce chemin sinueux que j'emprunte depuis déjà six jours. Sous la voûte des grands arbres où se croisaient les premières chauves-souris et les dernières buses, au milieu des fougères et des tapis de mousse, je longeais des lanternes déjà familières, des rosa rugosa encore fleuris des camélias aux feuilles luisantes, des érables encore verts, des maisons de bois par les fenêtres desquelles se devinaient des mobiliers à ras du sol, des cloisons de papier, l'écru blond des tatamis. Il n'était pas sept heures, mais déjà des repas s'y préparaient, répandaient leurs parfums moites de bouillon et d'algues, de thé vert et de soja. Trois gamins en tenue de base-ball me suivaient en bavardant, la batte sur l'épaule. Ils ont bifurqué dans mon dos sans que je m'en aperçoive, quand je me suis retournée il n'y avait plus personne, j'aurais aussi bien pu avoir été filée par des fantômes. Arrivée à la pension, je me suis installée près des fenêtres, accroupis autour d'une table en bois laqué nous n'étions que cinq à dîner, Katherine, moi-même et trois Japonais : un couple élégant et silencieux, tous deux vêtus de kimonos sobres et parfaitement coupés, visages aux traits si fins qu'on les aurait dits échappés d'un film, d'une photo. Et, légèrement en retrait, un homme d'une cinquantaine d'années, costume anthracite sur chemise claire, dont la bouche arborait en permanence une cigarette entièrement blanche. Il les sortait d'un paquet souple et bleu ciel et ne s'interrompait que pour avaler quelques bouchées ou boire une gorgée de bière d'une longueur inhabituelle, comme s'il tentait de vider son verre en un seul trait. Nous nous sommes salués en hochant la tête, bustes inclinés et sourires de convenance, puis chacun s'est de nouveau penché sur son assiette. La patronne m'a servi un bol de riz et d'anguille avant de s'installer à l'écart pour prendre son repas elle aussi, en compagnie de sa fille Hiromi, une gamine d'une quinzaine d'années que j'avais croisée plus tôt dans la journée, sitôt l'école quittée elle avait remonté sa jupe de plusieurs centimètres, défait trois boutons de son chemisier, maquillé ses yeux et sorti son téléphone portable de son sac, d'où pendaient une dizaine de breloques : porte-bonheur shinto, figurines de manga, créatures issues de films de Miyazaki et la galerie complète des Aristochats. J'ai pensé à ma propre fille en la voyant, elle ne me manquait pas encore, est-ce que les enfants nous manquent une fois entrés dans l'adolescence, je n'en étais pas certaine. Romain non plus ne me manquait pas, Anaïs avait bientôt seize ans et lui quatorze à peine, depuis pas mal de temps déjà nous ne faisions plus que nous croiser, nous ne vivions plus ensemble mais les uns à côté des autres, sous un même toit, en colocation en quelque sorte, j'avais mis du temps à m'en rendre compte mais vu d'ici, vu de si loin, oui, c'est ainsi que m'apparaissaient les choses. « Vu de loin on ne voit rien », disait souvent Nathan à tout propos, et cette phrase semblait recouvrir à ses yeux une vérité essentielle. Je n'ai jamais compris ce que mon frère entendait par là mais aujourd'hui je sais qu'il avait tort, que c'est exactement le contraire : vu de près, pris dans le cours ordinaire, on ne voit rien de sa propre vie. Pour la saisir il faut s'en extraire, exécuter un léger pas de côté. La plupart des gens ne le font jamais et ils n'ont pas tort. Personne n'a envie d'entrevoir l'avancée des glaces. Personne n'a envie de se retrouver suspendu dans le vide. *Nos vies tiennent dans un dé à coudre.* Je ne sais plus qui disait ça l'autre jour, c'était à la radio je crois. Ou bien l'ai-je lu dans un livre ? Je ne sais plus. Mais cette phrase m'a saisie, Nathan aurait pu la prononcer, ai-je pensé, l'ajouter aux dizaines d'autres, tout aussi définitives et désenchantées, qui lui servaient de viatique, dessinaient une ligne de conduite qui ne l'a jamais mené nulle part. J'avais pris le premier avion pour Tokyo, le cœur en cavale, dans un état de confusion totale, fuyant une menace indéfinissable dont je sentais qu'elle n'allait pas tarder à m'engloutir. Quand j'ai appelé les enfants, une fois arrivée ici, pour leur annoncer que voilà, j'étais partie au bout du monde pour quelque temps, que j'avais besoin d'une pause, de me retrouver, qu'un élan m'avait tirée vers l'est, vers ce pays, ces rues, ces paysages, ils se sont contentés d'acquiescer. Au fond je crois qu'ils s'en foutaient, pour eux ça ne devait pas signifier grand-chose. Pas beaucoup plus qu'une de ces lubies d'adulte névrosé dont ils avaient été plutôt protégés jusqu'alors, bien au chaud derrière les murs épais de notre maison confortable, la réserve feutrée et la pondération de leurs parents solides et raisonnables, mais dont regorgeaient les allées bien peignées de notre si jolie résidence : crises de nerfs, pétages de plombs, perversions, dépressions alcool adultère, vide et ressentiment en tout genre, il n'y avait qu'à se baisser, les rues et les maisons voisines en étaient pleines, comme partout ailleurs. Et il leur suffisait d'allumer la télé pour contempler des galeries entières de parents en tout point identiques aux leurs et à ceux de leurs camarades, rentrant chaque soir de leur travail valorisant et rémunérateur, dotés de voitures propres aux marques prestigieuses, suédoises ou allemandes, de résidences secondaires en Normandie en Bretagne ou dans le Pays basque, pratiquant le tennis, le golf et le jogging du dimanche matin, toujours impeccablement vêtus, goûtant le repos dans des pavillons rangés et entretenus, à la décoration choisie, et dont le vernis s'écaillait à la première occasion, laissant à nu des secrets putrides, les viscères du mensonge et de la dissimulation. Ils avaient raccroché en lâchant un «bon, ben… à bientôt maman» dubitatif et vaguement inquiet. Alain, leur père, avait dû prendre son air compréhensif et désolé, mon si parfait mari, votre mère est fragile en ce moment, avait-il dû leur confier, le front barré d'une ride soucieuse, après ce qui s'est passé il faut la comprendre, nous allons respecter son choix et attendre patiemment son retour, que pourrions-nous faire d'autre? Ils avaient dû l'écouter sans réagir, impuissants et dépassés, ne sachant trop si cet événement en était vraiment un, ni ce qu'on attendait d'eux en pareilles circonstances.

Je n'ai qu'à esquisser un geste de la main et la patronne se lève, agenouillée débarrasse la table et me ressert un peu de saké. Pour le dessert elle m'offre une pâte de haricot rouge enrobée de riz gluant sucré. Je la remercie d'un sourire. Je ne lis rien sur son visage, aucun signe de quoi que ce soit. Pourtant hier soir nous étions sept ici. Mais elle doit avoir l'habitude, à force. C'était un couple. Ils sont sortis dans la nuit tétanisée, de ma fenêtre je les ai vus s'éloigner, main dans la main et coiffés d'arbres, ombres avalées par l'obscurité. Au matin leurs corps démantibulés gisaient au pied des falaises. Une corde les nouait. La mer en se retirant avait lavé le sang répandu. Les goélands n'allaient pas tarder à les piquer du bec, à leur manger les yeux. La nuit était si noire. La pénombre trop profonde aura trompé sa vigilance. Natsume Dombori aura eu beau arpenter les sentiers, éclairé par sa torche il ne les aura pas vus, ou bien trop tard, tremblant tout au bord du précipice ils auront fini par se laisser tomber. «C'est surtout la nuit que ça se produit, m'a confié Hiromi. Le jour il y a trop de monde. Personne ne se suicide en public, par pudeur, par politesse. C'est pour ça qu'il patrouille le plus souvent à la tombée du soir.» Le mot «politesse» m'a heurtée, je me suis demandé en quoi le suicide avait à voir avec la politesse, j'ai pensé à Nathan et je me suis dit que non, décidément, non, ça n'avait rien à voir avec la politesse, c'était exactement le

contraire, cet enfoiré avait juste fait son putain d'égoïste
et le pire, c'est que ces derniers temps je me sentais tout
aussi capable de le faire que lui.

Quand je suis allée voir les falaises, le jour de mon arrivée,
j'ai presque été déçue. Le ciel était gris et la mer calme,
d'une teinte d'huître sableuse. Les roches se brisaient à
l'équerre, nues et ternes, fracturées en maints endroits,
concassées à d'autres. Tout n'était que verticalité anguleuse,
arêtes coupantes. Un endroit dur, sec, désertique. Chaque
année des dizaines de désespérés y affluaient pour y mourir,
cette manie remontait à si loin que personne n'était plus
en mesure de la dater. Il suffisait de contempler les lieux
pour se faire une idée de leur état mental, de la dureté de
leur douleur, du tranchant glacé du néant qui les rongeait.
Plus de larmes. Plus de colère. Plus le moindre sentiment.
Tout n'était plus qu'aridité, puits sans fond, ténèbres. Est-ce
que Nathan en était là? Et ce couple? Hier au dîner ils
semblaient si opaques. Deux blocs d'une pâleur nacrée,
d'une froideur de métal. «Cette fois il n'aura pas réussi
à les en empêcher», m'a glissé Hiromi au petit déjeuner.
Elle avait l'air fascinée. Elle m'a scrutée longuement,
m'a observée avaler mes œufs brouillés. On aurait dit
qu'elle cherchait à savoir si moi aussi j'étais venue pour
ça. Si elle m'avait posé la question, je crois que je n'aurais
pas su lui répondre.

19

Nous ne sommes plus que quatre maintenant. Le Japonais en costume a quitté la pièce en nous saluant d'un bref mouvement de tête. Hiromi m'a dit qu'il était là pour affaires. J'ignore quel genre d'affaires on mène dans une station balnéaire déserte où affluent des gens aux motivations obscures. Cette après-midi en regardant les promeneurs je me suis demandé ce qui les conduisait ici. Si certains d'entre eux étaient venus « reconnaître les lieux » et allaient profiter d'une nuit sans lune pour mourir. S'ils étaient seulement saisis par la beauté désolée des roches fendues, cette impression d'être parvenu au bout du bout du monde. Ou s'ils se précipitaient attirés par l'aura morbide du site, qu'alimentait chaque mois le décompte macabre des suicidés. Peut-être espéraient-ils assister en direct à un saut dans le vide, ou mieux à un sauvetage. Peut-être espéraient-ils l'apercevoir. Lui, le *sauveur*.

Le jour où Nathan avait croisé sa route, il y a huit mois de cela, Natsume Dombori n'était pas encore devenu ce héros national, cette célébrité. Il a fallu qu'il pose sa main sur l'épaule d'un journaliste au bord du gouffre, qu'il le ramène chez lui, le garde quelques semaines, lui offre le gîte, le couvert et sa patiente écoute, et que ce dernier croie bon de raconter tout cela dans le journal qui l'employait, sans omettre de préciser qu'il était loin d'être le premier à avoir été ainsi sauvé, recueilli et soigné. Hiromi affirme que depuis que cet ancien flic du district s'est fixé la mission de décourager les candidats au suicide et de les prendre sous son aile, soit trois ans maintenant, le nombre de morts volontaires a diminué de moitié. J'ignore d'où elle tient cela, si des statistiques existent, si elle les tient elle-même.

Il pleut. Une pluie lourde, régulière et tiède. J'écarte les vitres coulissantes qui bordent le restaurant, me glisse sur la terrasse, protégée des gouttes par l'auvent, m'allume une cigarette. Dans le jardin en contrebas, éclairé par dix lanternes, tout ruisselle, se liquéfie et se trouble. L'air moite se gonfle de terre, de bois, de pierres et de lichen, de fougères trempées. Un crapaud plonge dans l'étang, brise la surface qui aussitôt se reforme. Chaque goutte est une aiguille, une imperceptible blessure. Je tends la main, puis le poignet, pour les piquer d'eau, je ferme les yeux et je respire profondément, je crois que je pourrais à mon tour me répandre, me couler dans un ruisseau. Il y a si longtemps que je n'ai pas ressenti cela. Cette paix liquide à l'intérieur de moi. Comme nageant un soir d'été, glissant parallèle aux calanques, parmi les miroitements d'une mer lisse et semée d'oiseaux. Comme en ces journées orange, lumineuses et inégalées, où je sentais quelque chose en moi rendre les armes, les enfants demi-nus étendus sur le sable, Alain parti en mer, un livre ouvert sur ma serviette. Comme en ces moments clairs et sereins, les plus heureux de ma vie au fond, ces moments bénis de vacances, les roches rouges et les oliviers, les chênes-lièges les argousiers la terre ocre des sentiers, la maison familière et rassurante, dominant la baie, parfum de poussière et d'herbes grillées, le temps qui soudain s'étire, l'horizon qui enfin se dégage, mon cerveau lavé, mon cœur net, mon cœur enfin libre et délassé.

Katherine vient de me rejoindre. Hier soir nous sommes restées tard à bavarder, un vent doux nous caressait, des cuisines fanaient des odeurs de riz et de châtaigne, elle tenait sa tête penchée dans la paume de sa main droite et souriait sans cesse, les yeux plissés en une grimace, une manière agaçante et forcée dont j'ignorais si elle lui était naturelle ou seulement due à l'alcool.

— Pourquoi ils ont fait ça à votre avis ?

Katherine vient de Brighton mais son français est sûr, elle a passé quelques étés en Dordogne et songe à s'y établir quand elle aura décidé de se poser enfin, des vieux jours dans la lumière blonde tombant sur les noyers, la douceur des collines, les automnes flamboyants. Pour l'heure elle traverse le Japon de part en part, s'est arrêtée deux nuits dans cette pension, elle partira demain aux premières heures, «légèrement déçue par le site, choquée par la mort de ce couple auprès de qui elle dînait la veille, mais heureuse de m'avoir rencontrée», dit-elle.

— Vous croyez vraiment qu'on peut répondre à ce genre de question ?

J'allume une autre cigarette et j'écoute la pluie glisser entre les cailloux. Katherine ferme les yeux et s'adosse au mur de bois sombre. C'est une femme longue et usée, sa langueur a cet écho particulier, celui d'un lent renoncement, d'une lassitude, et ses voyages incessants et solitaires, plusieurs par an, embarquant sur des cargos frayant dans les glaces du Grand Nord, traquant l'éblouissement des fjords et les rougeoiements des aurores boréales, restant deux mois à bord, ont l'allure d'une dérive. Elle ne travaille plus depuis plusieurs années, «je n'y arrivais plus voilà tout», c'est tout ce qu'elle a su m'en dire hier, ses yeux étaient humides elle s'est excusée avec des mots d'une délicatesse surannée, «à certaines heures je ne suis plus fréquentable, je ne vais pas vous imposer ma compagnie plus longtemps, je me retire dans mes appartements, comme on dit».

– Mon frère s'est suicidé il y a quatre mois.

Je ne sais pas pourquoi je lui ai dit ça. Je ne sais même pas si c'est vrai. S'il s'agissait réellement d'un suicide. Un grand oiseau noir fend la nuit pluvieuse. Elle me regarde sans rien dire, hoche la tête, elle sait que j'en ai trop dit, que c'est mon tour de m'épancher plus que de raison, et de me retirer dans ma chambre.

Je suis arrivée ici après vingt heures de voyage, complètement égarée. J'étais en fuite, affolée je cherchais un abri. Un endroit où aller. Des réponses. De Tokyo je n'ai rien vu. Sitôt descendue de l'avion, abrutie par treize heures de vol, j'ai sauté dans un train puis un bus, j'ai dormi la plus grande partie du trajet, parfois j'ouvrais l'œil et le paysage défilait derrière les vitres, à la fois irréel et inexplicablement familier. Très vite, la ville dense et illisible s'était désagrégée en banlieues, puis la campagne avait tout recouvert, jetant ses hameaux et ses temples au pied des montagnes, au milieu des champs, des plaqueminiers et des rizières. Où que porte mon regard j'étais saisie par une impression de déjà-vu. Il me semblait avoir déjà traversé ces lieux, les avoir rêvés, mais c'était peut-être la fatigue, le décalage horaire, cet état brumeux qui donne parfois au réel la texture d'un songe. Le bus s'est arrêté le long de la plage. C'était un jour de grande lumière, de ciel acide. La mer étincelait, bordée de sable pâle. Au bout de la plage se dressaient les falaises aveuglantes. En retrait, la station ne comprenait qu'un petit écheveau de rues que stoppaient les collines. Je suis entrée dans le premier restaurant, j'étais épuisée, la carte était indéchiffrable et le serveur ne parlait pas un mot d'anglais, j'en aurais chialé. J'ai désigné une ligne au hasard et on m'a apporté un plat de nouilles à la viande trempant dans de la soupe. Je n'avais rien avalé depuis deux jours, j'ai eu l'impression que manger apaisait ma fatigue, caressait mes nerfs. C'est là que j'ai vu Hiromi pour la première fois. Elle buvait un café en compagnie d'un jeune homme, elle avait remarqué mon sac et s'est approchée de moi. Est-ce que je cherchais un endroit où loger? Je l'ai suivie jusqu'à la pension que tenait sa mère, une bâtisse en L et cernée d'arbres, blanche et coiffée de tuiles noires et courbes, dominant la ville et la baie. J'y ai pris une chambre et j'y suis restée. Cela fait maintenant une semaine que j'y loge. C'est un endroit calme et doux. À une extrémité du bâtiment s'étendent les appartements de la patronne et de sa fille, le hall d'accueil, la salle à manger et la terrasse donnant sur le jardin soigné, ses lanternes, son étang grouillant de carpes et couvert de nénuphars, bordé d'érables et de pins, clos par une haie de bambous. Puis ce sont les chambres, surplombant le bain extérieur, et le regard s'enfouit dans la profondeur des forêts. La mienne est une pièce presque nue : un large futon étendu sur les tatamis, un placard dont la porte coulissante est un tableau, composition délicate de motifs floraux corail et prune, une lampe posée à même le sol. Par la cloison de papier entre une lumière douce et chaude qui se dépose à l'opposé du lit, laissant ce dernier dans une pénombre suffisante. De ma fenêtre, j'aperçois la chambre de Katherine et, à l'étage inférieur, la terrasse de pierre luisante où s'encastre l'eau émeraude, si brûlante qu'au matin de la vapeur s'en échappe et mouille la grenouille ventrue de céramique qui veille sur les lieux. Je m'y suis baignée au lever du jour, encore engourdie du peu de sommeil que j'ai pu prendre. Je ne dors plus depuis si longtemps. Pourtant, chaque matin, à la question rituelle d'Alain, mon mari si parfait déjà coiffé douché rasé chemisé, « tu as bien dormi ma chérie ? », j'ai toujours répondu oui et souvent menti. Souvent, la nuit, j'errais dans la maison comme un fantôme, c'étaient des heures volées, cotonneuses et beiges, je glissais de pièce en pièce, de moquettes pastel en parquet blond clair, jetant un œil à mes enfants endormis, avec l'impression fugace de les retrouver enfin, d'enfin faire le lien entre eux et ces petits animaux pendus à mon cou, blottis dans mes bras, collés si fort qu'ils se confondaient avec moi, que j'ai perdus et que je ne retrouverai jamais. Je descendais au salon, les lampadaires de la rue y projetaient l'ombre des fenêtres, les voyants de la chaîne hi-fi et du téléviseur brillaient faiblement, de la cuisine provenait le bourdon sourd du réfrigérateur. Tout était si immobile, tout était si mort et figé, tout allait m'engloutir. J'entrouvrais la porte-fenêtre, sous mes pieds nus la pelouse était humide, dense et parfaitement tondue. Dans la clarté lunaire qu'accusaient les réverbères, la balançoire oscillait, Alain voulait la démonter je n'ai jamais voulu, il m'arrivait encore de m'y asseoir et d'y rêvasser les yeux au ciel sous son regard consterné. Le bitume était tiède, devant les maisons fleurissaient des massifs soignés, les rues s'enchevêtraient suavement, se séparaient parfois le long de vertes pelouses d'où s'élevaient de grands arbres. Au large, d'élégants murs de pierre meulière nous enfermaient. Chaque fois que je les quittais, à l'instant de passer la barrière, j'avais le sentiment de m'enfuir. Les fenêtres allumées étaient rares, révélaient le plus souvent des adolescents rivés à leur ordinateur. Parfois je croisais le regard d'une voisine, en chemise de nuit face à la porte-fenêtre et une tasse à la main, comme un reflet de moi-même, qui m'effrayait sans que je sache bien pourquoi. Alors je faisais demi-tour, pressais le pas sur le bitume lissé, les odeurs de fleurs pourrissantes m'enveloppaient et me tournaient la tête. Je refermais la porte derrière moi, la gorge serrée, mon cœur battait vite, je n'étais sauvée de rien. La maison m'avalait, ses teintes douces et mornes, sa lumière fade, sa décoration sans âme parce que Alain n'aimait pas la fantaisie, ses baies vitrées sans croisillons parce que Alain voulait de la lumière, ses meubles design parce que Alain n'aimait pas les vieilleries, ses pièces rangées parce que Alain ne supportait pas le désordre, son bourdonnement électrique parce que Alain raffolait des dernières nouveautés technologiques, son absence de livres parce que Alain ne voyait pas l'intérêt de les garder une fois lus, parce que nous ne lisions pas « faute de temps », son absence de disques parce que Alain n'aimait pas particulièrement la musique et s'en vantait presque, « j'aime un peu de tout, disait-il, j'écoute ce qui passe », tout ce raffinement, ce dépouillement froid m'étranglaient. On aurait dit que personne ne vivait là, on aurait dit que la maison était gelée. Je me servais un premier whisky puis un autre, allumais la radio en sourdine, j'avais le sentiment d'être étrangère à cet endroit, cette maison, ces rues, j'avais le sentiment que tout cela était inventé, créé de toutes pièces, et n'avait pas le moindre rapport avec moi. Dans ces moments, je sentais combien j'étais apte à la dérive, je voyais se matérialiser sous mes yeux le réseau serré de fils que j'avais tissé pour me tenir à la surface, la succession de tâches professionnelles, sociales, amoureuses, domestiques qui me donnaient une contenance, un emploi, oui je voyais clairement l'ampleur de la construction, la grossièreté de l'artifice, la part de comédie. Ces nuits-là je ne m'effondrais qu'à l'aube, gelée et recroquevillée sur le canapé. Au réveil, les enfants sagement assis à la table du petit-déjeuner, la radio branchée sur les informations, le battement tangible du monde réel, mon mari coiffé douché rasé chemisé, tout était en ordre et lisible, tout était rassurant. Je fonçais sous la douche et m'habillais, avalais un café et m'engouffrais dans ma voiture, me laissais porter vers la ville par le flux tendu de la circulation.

Une ombre passe au-dehors, s'enfuit vers les sentiers, s'enfonce dans la nuit d'insectes. J'allume la lampe et elle s'éclaire, se retourne. C'est Hiromi. Ses jambes sont nues et sa jupe ne couvre que le haut des cuisses. Il est deux heures du matin et sa mère doit dormir à poings fermés. Où peut-elle aller à cette heure? Plus bas dans la station, je n'ai relevé que quelques bars, deux ou trois restaurants, dont la moitié fermés jusqu'à l'été prochain. La première nuit j'ai marché dans les rues et tout dormait, quelques jeunes juchés sur des mobylettes discutaient en fumant sur le front de mer, l'eau miroitait comme parée de milliers d'écailles. De temps à autre ils se dirigeaient vers le distributeur de boissons adossé à un vieux pavillon de bois rongé par le sel, en tiraient une bière ou un verre de saké. Vers une heure un homme est sorti de la maison, la porte ouverte a découvert une pièce en désordre, munie d'un futon, d'une table basse, d'un chevalet et d'un téléviseur. Au fond patientaient les cartons destinés au distributeur dont la vitre briquée étincelait. Le type l'a ouvert et s'est mis à compléter les rayons, au-dessus des alcools brillaient des bouteilles de thé froid et des canettes de sodas violets roses ou vert fluo, il devait faire ça chaque nuit, vivait dans cette maison minuscule et gagnait sa vie en gérant la machine dont il vidait la caisse au matin. Il m'a fait signe d'entrer, dans un anglais hésitant m'a demandé si je voulais quelque chose, désignant un mur d'étagères où s'alignaient des cartons de saké d'un ou deux litres, une dizaine de bouteilles de liqueur de prune et quelques flacons de whisky local. J'ai répondu que non, ça allait, il a souri et m'a dit de l'attendre avant de disparaître dans ce qui semblait être une cuisine, des casseroles graisseuses s'empilaient sur les plaques, le rice cooker était presque jaune. J'ai patienté un moment au milieu des parfums d'alcool. Contre un mur étaient entreposées des toiles retournées, montées sur leurs châssis de bois clair. À leur pied s'éparpillaient des papiers couverts d'encre et des palettes aux couleurs mélangées. Je l'ai entendu fouiller quelques instants. Il a réapparu avec une pomme gigantesque, d'un rouge irréel, lovée dans un écrin de papier travaillé comme une dentelle. On aurait dit qu'il l'avait peinte au vernis à ongles. Il me l'a tendue, dans un anglais fruste et saccadé m'a précisé que c'était un cadeau, et qu'il me trouvait jolie. Je l'ai remercié et il a fermé la porte derrière lui. Je me suis demandé depuis quand on ne m'avait pas dit que j'étais jolie. Je veux dire : à part Alain mon si gentil mari, mû par l'habitude alors que nous ne faisons plus l'amour depuis deux ans, ou bien trois je ne sais plus et je m'en fous. À part Nathan aussi, qui ne me le dira plus jamais. J'ai senti mon ventre se tendre, j'ai eu envie de frapper à sa porte et qu'il me serre dans ses bras, qu'il me caresse de ses mains sèches mais je n'ai rien fait, j'ai été surprise de ressentir ça, d'y penser, même, il n'était pas particulièrement beau, sa peau était tachée par endroits, sa lèvre supérieure fendue, et son pantalon de coton noir et son tee-shirt blanc sans manches cachaient mal un corps osseux.

Le sommeil ne viendra pas. Dans le couloir sous mes pas le parquet grince à peine, je ne suis pas certaine de toucher le sol, je ne suis pas certaine d'avoir encore un poids, la moindre consistance. Je rase les murs, me colle à eux et tends l'oreille, je ne sais pas pourquoi je fais ça, dans les maisons dans les hôtels, partout je fais ça, colle mon visage au bois des portes et tends l'oreille, jusqu'à percevoir un souffle, une respiration un mouvement des murmures, un drap qu'on repousse, de l'eau qu'on fait couler, la rumeur d'un téléviseur, une conversation étouffée, une quinte de toux, une tête que l'on gratte, un ronflement. J'ignore ce que je cherche. Quelles preuves, quelle confirmation. Je longe des panneaux parés d'oiseaux réduits à des ombres, ils attendent le jour planqués dans les herbes hautes, bientôt ils s'élèveront vers des montagnes rondes et soyeuses, survoleront des cours d'eau creusant des vallées et peuplés de hérons. Dans la chambre 12 un couple s'engueule, sans doute celui du dîner. Ils n'ont pas prononcé un mot de tout le repas, concentrés sur leur nourriture, ou bien le regard perdu, rivé à la fenêtre mais s'égarant beaucoup plus loin, bien au-delà des cèdres des bambous des montagnes, quelque part en eux-mêmes. Je reste collée à la porte, je ne respire plus, je pourrais rester ainsi pendant des heures, privée d'oxygène rien n'adviendrait de moi, rien ne se produirait. Je ne respire plus depuis si longtemps. J'entends distinctement parler la femme, son débit rapide et plaintif, sa voix rendue pointue par la colère, aiguë et nasillarde, insupportable. L'homme est sur la défensive ou bien très las, ne répond qu'en petits mots suffocants, des grognements sourds et rauques qui peinent à sortir de sa gorge, à croire que chacun d'eux le blesse, écorche sa bouche et ses lèvres. Soudain la porte s'ouvre, la femme apparaît, vêtue d'un peignoir de soie où domine le turquoise. Sans me prêter la moindre attention elle s'éloigne, dévale les escaliers, je pourrais n'avoir jamais été là, n'avoir jamais existé. Quand je parviens à la première marche, elle s'est évaporée, la salle du restaurant est plongée dans la pénombre, impeccablement rangée, silencieuse et rassurante, alignement de tables laquées longées de coussins rectangulaires. Dehors la pluie a cessé, les nuages anthracites s'écartent et se déchirent, les lanternes du jardin sont éteintes et la nuit est grise, un peu mauve en lisière des collines au nord, presque blanche le long de la mer, tout juste troublée par les cris des corbeaux. Des bruits d'eau froissent la rumeur animale, la voilent un bref moment. Je me penche et, en contrebas, un projecteur illumine faiblement le bain. Nue et blanche, le corps adolescent, les os des clavicules se détachant sous la peau, elle se glisse dans l'eau et renverse la tête en arrière. Ses cheveux se répandent comme des algues.

— Vous ne dormez pas?

Katherine porte un manteau de pluie, des bottines en cuir, semble rentrer de promenade.

— Je vous ai fait peur, pardonnez-moi.

Elle s'assied près de moi, allume une cigarette et nous contemplons la baigneuse sans prononcer un mot. Vue d'ici sa peau est bleue, les contours de son corps légèrement flous, la buée sur les vitres la brouille plus encore, lui donne l'allure d'une apparition. Un rond de fumée et elle disparaît tout à fait.

— Je l'ai vu faire, vous savez.

— Qui?

— Natsume Dombori. Je viens de le voir faire. Je n'arrivais pas à dormir, je suis descendue jusqu'à la plage. J'ai croisé la petite. Elle était avec un homme. Un Américain, je crois. Trente-cinq ans environ. Genre surfeur. J'ai pris le sentier qui monte aux falaises. On ne voyait rien, bon Dieu. Je me suis cassé la gueule. Tiens regardez ça.

Elle lève sa jupe et découvre son mollet éraflé. Sa jambe est d'une maigreur effarante. Sous ses vêtements amples on ne devine pourtant rien de tel. Un instant je regarde mon reflet dans la vitre. Je ne suis pas tellement plus épaisse. Depuis plusieurs mois je mange à peine. Quelques bouchées suffisent à me remplir, quelques bouchées et je me sens lourde, au bord de vomir.

— Quand je suis arrivée là-haut, j'ai vu un faisceau se poser sur les roches, illuminer le bord. Un corps est apparu dans la lumière, immobile, tremblant, tétanisé, sur le point de chuter. Natsume Dombori s'est approché, avec sa torche braquée. Il a posé sa main sur son épaule. Je crois que c'était un homme mais je ne suis pas sûre. Dans l'obscurité je ne saurais vous dire à quoi il ressemblait vraiment. Ils ont discuté un moment, en japonais bien sûr. Je n'ai pas compris un traître mot. Et puis ils sont repartis. Je les ai suivis. Dombori l'a ramené chez lui. Voilà. Ça s'est passé comme ça.

Elle tire une dernière bouffée de cigarette et me souhaite bonne nuit. «Ou ce qu'il en reste», précise-t-elle. L'escalier grince sous ses pas. Elle grimpe chaque marche avec une distinction lointaine, un abandon sophistiqué, Katharine Hepburn Charlotte Rampling, ce genre de femmes m'a toujours fascinée, comme si elles appartenaient à une autre espèce que la mienne, à leurs côtés je me sens si pataude, empruntée, malhabile. Je jette un dernier coup d'œil au bain. Une ombre s'y étire et se brise sur le corps blême, efface la rondeur parfaite des seins. Puis s'avance jusqu'à recouvrir la tache brune du sexe, les cuisses, les mollets, les chevilles. L'homme entre dans l'eau à son tour, se colle à elle, l'embrasse, de sa main parcourt chaque millimètre de peau. Je les regarde baiser dans la nuit devenue fraîche, je les regarde jusqu'au bout, aimantée, fascinée. J'ignore ce qui me retient ainsi. Je crois que je trouve ça beau. Quand elle gémit on dirait qu'elle a mal, on ne sait pas si elle souffre ou si elle jouit, elle ne bouge presque pas, seul son visage se crispe, se plisse et se détend par spasmes. Il est un amant métronomique, presque clinique. Il se dégage de leur étreinte quelque chose d'incroyablement lumineux, tendu et net. On croirait une danse.

Au petit déjeuner nous ne sommes plus que trois. Katherine vient de me faire ses adieux. Il lui reste dix jours à passer au Japon, puis elle rentrera à Brighton. Relever le courrier, prendre des nouvelles des amis. Elle ne tiendra pas bien longtemps elle le sait déjà, embarquera sur le premier ferry venu, pourvu qu'il l'emmène vers le nord, à moins que ce ne soit sur ce cargo qui part de Dublin pour Valparaíso. L'idée de rentrer chez elle et d'y rester la glace d'effroi. Je ne lui dis pas que c'est aussi mon cas, je ne m'autorise pas à penser une chose pareille, pourtant c'est la vérité, ça ne sert à rien de lutter contre ça, comme elle je voudrais dériver, nager entre deux eaux et ne plus jamais toucher terre.

Le couple japonais mange en silence, quelque chose d'hostile et froid circule de l'un à l'autre, une rancune glacée. Qui pourrait croire qu'ils dansaient dans l'eau cette nuit ? L'homme d'affaires n'est plus là. Il a dû partir à l'aube, prendre un bus pour rejoindre une autre ville sur la côte, également déserte et sur le point de s'engourdir jusqu'aux premiers soleils du printemps. Hiromi entre dans la salle et me sourit dans son uniforme marine d'écolière sage. Elle embrasse sa mère, lui glisse quelques mots à l'oreille, attrape son sac et quitte la pièce après m'avoir souhaité une bonne journée. Ses yeux sont brillants et des cernes noirs trahissent sa nuit blanche. Je la croiserai sans doute aux abords du collège. Il se niche vers les collines, au milieu d'un quartier pavillonnaire. On y trouve aussi un stade de base-ball, rectangle de terre beige cerné de hauts grillages, aux quatre coins duquel se dressent de grands projecteurs aluminium. J'aime me perdre dans les ruelles du quartier résidentiel. Les voitures y sont rares, noires et brillantes, les maisons serrées les unes contre les autres, dotées de minuscules jardinets, de cours étroites où sont entreposés des plantes en pots, un ou deux vélos, un arrosoir, des jouets, un balai, du linge à sécher. Parfois s'y faufile un tanuki, à la fois identique au précédent et légèrement différent, raton laveur debout, ventru et joufflu, muni de bourses extravagantes, d'une gourde de saké et d'un chapeau de paille. Chaque fois que je la croise, cette divinité du bonheur me fait sourire, je crois qu'elle me rassure, comme me rassure ici la multitude de symboles auxquels je ne comprends rien mais qui semblent veiller sur nous, nous protéger de je ne sais quel péril. Torii, grenouilles, renards et souris aux abords des sanctuaires, statues de pierre munies d'un foulard rouge le long d'une route, cèdres au tronc vêtu d'une ceinture de bambous, plaques votives, papiers pliés multicolores, guirlandes, singes de tissu aux pieds et poings liés, pierres gravées, têtes rouges aux sourcils longs comme la queue d'un cheval… Près du collège, un chemin de terre s'enfonce dans la forêt, grimpe à flanc de colline, se mue en escalier, au bout de quelques mètres on oublie la mer. Ce ne sont plus qu'érables, dont certains rougissent déjà, bambous gigantesques réunis en bosquets. Les dernières marches débouchent sur un mur d'enceinte, d'un blanc vif et poudré, une porte surmontée d'un toit de chaume mène au temple. À quelques mètres de là, racines épaisses sortant de terre, s'élève un camphrier immense, au feuillage frissonnant dans le vent, cœur vert pulsant à un rythme régulier. On le croirait peuplé d'oiseaux, d'animaux silencieux et de créatures étranges. À l'arrière du bâtiment, murs blancs lardés de poutres qu'on jurerait cirées, tuiles noires ouvragées et pavillons reliés par des passerelles, se cache un jardin de mousse et de pierre, semé de cerisiers. Quelques conifères se penchent sur un étang où s'avance une jetée de bois, l'un d'entre eux menace d'y plonger, ses épines en caressent la surface avant de s'y déposer, jaunies elles flottent et dérivent, on en trouve jusque sous le pont rouge qui traverse le plan d'eau en son point le plus étroit. Je viens là chaque jour, ôte mes chaussures, glisse parmi les pièces désertes et nues, traversées par le vent, j'aime la sensation de mes pieds sur

le parquet lisse, je m'assieds sur la terrasse, en lisière de
la salle de prière où parfois deux Japonais s'agenouillent
face à un grand bouddha doré, dominant l'autel où
s'accumulent des offrandes, fruits étincelants confiseries
bouteilles d'alcool bouquets de fleurs, je pourrais rester
des heures à contempler l'immense pin millénaire dont
les branches épaisses, à l'écorce craquelée, brune parée de
reflets orange, soutenues par des tuteurs gros comme des
troncs, tracent des itinéraires extraordinaires, tirés vers le
ciel. En son sommet, sa coiffe d'épines souples dessine
un mont Fuji en été, neige fondue et contours nets dans
la lumière vive. Je le fixe et j'ai l'impression qu'il respire,
que sa peau se soulève par endroits, je crois sentir ce qui
l'irrigue et y circule, comme le sang dans un réseau veineux.
Une femme en kimono m'apporte un gâteau rangé dans
son papier plié, un bol de thé. Je le bois à petites gorgées,
comme cherchant mon souffle, le repos, un répit. Comme
volant ici une halte inespérée. Goûtant un peu de lumière
après des mois d'obscurité. Des mois à chuter sans fin, à
sonder la profondeur des gouffres.

J'aime aussi me rendre au sanctuaire de la plage,
minuscule et rongé par les embruns. Un torii de pierre
grise en signale l'entrée. Des souris rondes et deux lions
bouclés le surveillent. On y entend la mer, on y vénère des
morts bercés par le ressac et protégés par douze arbres à
kakis dont les fruits écrasés jonchent le sol, des centaines

de plaques votives attendent d'y être brûlées, sur leur bois humide et gonflé le sel bave une encre vert et noir, elles se balancent et cliquettent sur leur présentoir, dessus sont inscrits le nom du défunt et la date de sa mort, hier le gardien du lieu m'a indiqué que, pour une bonne part, il s'agissait des suicidés des falaises. Je me soumets au rituel, me lave les mains à la source, applaudis trois fois pour chasser les mauvais esprits, tire sur la clochette et m'incline pour prier. Plus loin, dans une urne immense se consument des centaines de bâtons d'encens. J'en allume trois et respire la fumée jusqu'à ce que mes poumons se troublent, jusqu'à sentir sur ma langue le goût du bois et de la cendre. Autour de moi, la plupart des visiteurs exécutent ces gestes les yeux clos, concentrés, ils partent au travail ou en rentrent, vont au lycée ou se rendent au Lawson, certains sont vêtus de combinaisons noires et portent leur surf sous le bras, enfants ou vieillards ils s'inclinent devant le sanctuaire, joignent les mains à toute allure ou se recueillent un long moment, jettent une pièce, jamais ne passent sans une prière, un vœu, un signe. J'ignore pourquoi ce lieu, la répétition de ces gestes, l'eau sortant du tube de bambou et courant sur mes paumes et mes poignets, l'odeur de cèdre brûlé m'apaisent à ce point. Mais j'aime qu'ici l'on chérisse ses morts en plein cœur de la vie, qu'à tout instant l'on interrompe le cours des choses pour se recentrer sur l'essentiel, ses souhaits les plus profonds, le sens de ses actes, l'amour qu'on porte à ses proches, sa famille, ses amis. J'aime sentir Nathan flotter autour de moi, emplir l'air, sentir son haleine, ses tempes toujours moites, la chaleur de ses mains, j'ai la sensation brûlante qu'il est là, tout proche.

Je finis mon café, laisse mes œufs, entrouvre la fenêtre pour y fumer ma première cigarette. Le ciel est d'un bleu presque blanc et griffé d'oiseaux, la lumière caresse les feuilles, le tronc vert des bambous qui se courbent et se balancent contre le vent. Toutes les couleurs se fondent en contrastes atténués, réduits à d'infimes nuances. Les verts se mêlent à l'orange en gros points cotonneux, comme crachés par un aérographe. Plus bas le Pacifique est une surface lisse et glacée, presque rosée. Je tire une dernière bouffée, referme la fenêtre. Dans la salle il n'y a plus personne, juste la patronne qui débarrasse les tables puis les fait reluire à l'aide d'un chiffon. Ses gestes sont vifs et légers, comme déconnectés de son corps, sa silhouette un peu raide, son visage tendu. Elle me propose une dernière tasse de café, un bol de thé vert. Je la remercie et, pour la première fois depuis que je suis ici, j'ose sortir de ma poche la photo de Nathan. Elle rit en le voyant et ça me fait un bien fou d'entendre ce rire, ça me fait un bien fou de savoir que quelqu'un qui l'a croisé peut rire à son souvenir. Dans son anglais rudimentaire elle me dit que oui, elle s'en souvient, il est resté quinze jours chez elle, il était toujours saoul, en train de chanter et de rire ou de pleurer, «a very strange and very kind man». «C'est mon frère», lui dis-je. Mon frère. Je répète plusieurs fois ces mots, aussitôt les murs et le sol les engloutissent, à peine prononcés ils disparaissent, absorbés par le silence mat. Elle me prend les mains et me les serre, les siennes sont petites et comme couvertes de talc. Ses yeux brillent et son visage est d'une bienveillance grave et douce. On dirait qu'elle me présente ses condoléances. Comment peut-elle savoir? Qu'a-t-elle bien pu deviner? Elle se penche vers moi et me glisse à l'oreille, sans me lâcher les mains :

— Don't go see cliffs again. Not good for you.

Elle me serre dans ses bras, contre mon ventre son corps minuscule est dur et sans âge.

J'ai appris la mort de Nathan durant un séminaire de motivation dans le Morbihan. L'hôtel donnait sur l'océan et jouxtait le centre de thalassothérapie. La mer se brisait sur les récifs, écumait avant de lécher le sable blanc. Le ciel semblait fondre sur les terres, lumineux à vous trancher la rétine. Nous étions une vingtaine et j'ai l'impression qu'avant même que le téléphone sonne et que me parvienne la voix brisée de Clara, ma petite sœur, quelque chose en moi s'était effondré. Des digues, un rempart. La journée qui avait précédé avait des allures de cauchemar. Tout ressemblait à une mascarade grotesque mais je crois que j'étais la seule à m'en rendre compte. Je regardais les autres effarée, j'avais envie de hurler, de me débattre, de cogner à leur front comme on cogne à une vitre. « Non mais vous ne voyez pas ? Vous faites semblant. Dites-moi que vous faites semblant. Que vous n'êtes pas assez cons pour croire à tout ce blabla. » J'étais plongée dans un de ces rêves atroces où l'on est seul à se débattre dans un monde absurde, où personne ne comprend les mots que l'on prononce, ni n'a l'air de savoir qui l'on est et de quoi l'on parle. Avant même que ma sœur ne m'annonce sa mort, dans ce complexe hôtelier du Morbihan, Nathan amorçait sa remontée à la surface. J'avais beau le maintenir tout au fond depuis des années, j'avais beau l'étouffer, le forcer à se tapir, il remontait. Il préparait son retour.

Nous étions arrivés le lundi, vingt cadres de la boîte dans la même voiture d'un TGV bleu. Trois heures de vannes grossières, de blagues de cul, ordinairement racistes, misogynes ou homophobes, trois heures de papotages confondants de connerie, émissions télé horoscope potins people, trois heures de discours de droite néandertalienne, aurait dit Nathan. J'avais cru mourir. Pourtant ça ne changeait pas du bureau, des pauses café du réfectoire. Avec moi bien sûr ils y allaient doucement, ils avaient vite compris que je n'étais pas des leurs, ils me jugeaient distante, timide, effacée, coincée, mais ça ne me dérangeait pas, j'étais au travail pour le travail, et la vraie vie était ailleurs, croyais-je, à la maison auprès de ceux que j'aimais, mon si gentil mari mes si beaux enfants et nos amis dont je m'aperçois aujourd'hui qu'ils n'étaient que les amis d'Alain. J'ai longtemps cru ces deux aspects de ma vie étanches, j'ai longtemps pensé qu'ils n'avaient aucune incidence l'un sur l'autre, que le milieu dans lequel j'évoluais, les tâches que j'y accomplissais me laissaient intacte, préservée, qu'il suffisait de rester à distance, de ne pas s'impliquer, qu'il suffisait de jouer, de donner le change. Je me trompais, personne ne reste longtemps à la fois dehors et dedans, personne ne tient longtemps en lisière. Ma vie ne formait qu'un même ensemble, pas de compartiments, aucun espace préservé. Une même vie. Peu à peu rognée, corrompue, viciée. J'ai simplement mis du temps à réaliser que ce n'était pas la mienne. Au bout d'une heure je m'étais excusée, j'avais un coup de fil urgent à passer. J'ai traversé la rame à la recherche d'une place isolée. En voiture 20 quelques fauteuils étaient libres, j'ai regardé défiler le paysage, milliers de maisons, de vies agglutinées, d'existences fondues et minuscules, impossibles à distinguer, inconcevables. J'étais un insecte, une fourmi dans la fourmilière, je finirais par mourir écrasée. La ville s'était bientôt effacée, lui succédaient le désert des champs immenses, des vallons des forêts des collines, la lumière du matin dorait les prairies, surlignait chaque branche de peuplier, transperçait la moindre feuille, j'aurais voulu que le train s'arrête, j'aurais voulu descendre de la rame, poser le pied parmi les herbes hautes, respirer l'odeur de terre craquelée, j'aurais voulu me perdre au milieu des arbres et que les bois se referment sur moi.

À l'hôtel, sitôt nos affaires déposées dans des chambres impersonnelles, meubles de bois clair moquette verte aquarelles pâles figurant des corbeilles de fruits un bouquet de fleurs un bateau à fond de cale, il nous avait fallu nous rendre sur la plage longée de troquets à mobilier de plastique blanc, enfiler des combinaisons sous le regard amusé des locaux et nous jeter à l'eau. J'étais presque heureuse de quitter la chambre, son insonorisation glaçante, ce silence oppressant, ce bruit mat et bourdonnant d'hôtel Mercure qui me fissurait le crâne comme rien d'autre. J'étais presque heureuse de passer la porte, de sentir le vent me griffer, les odeurs d'eau crue de coquillages et de sable trempé me remplir, presque heureuse de me contorsionner dans tous les sens pour enfiler ma protection de caoutchouc noir. Un moniteur d'une trentaine d'années, sourire de tombeur cheveux délavés par le sel barbe de six jours, nous attendait sur un Zodiac rouge et noir. Il nous a priés de nous installer sur un immense boudin gonflable, la mer était gelée, brûlait mes pieds nus et congelait mes mollets. Nous étions dix, l'eau avait une couleur de métal et les goélands nous survolaient en lâchant des cris aigus et narquois. Au large, perchés sur leur îlot déchiqueté, une dizaine de cormorans nous regardaient d'un air hautain, vaguement méprisant. Soudain le Zodiac a accéléré et la mer s'est durcie, on glissait sur du ciment, chaque vague nous frappait sèchement avant de nous propulser dans les airs, tout le monde criait, on s'accrochait les uns aux autres, on s'agrippait comme on pouvait, au tee-shirt au maillot au gilet de sauvetage à la peau, j'imagine que tout ceci était supposé renforcer notre confiance en nous et dans les autres, notre cohésion. Quand Sébastien est tombé à l'eau, tout le monde a hurlé de rire, tout le monde a crié, tout le monde a applaudi. Le Zodiac a fait demi-tour, le moteur a ralenti et la mer a subitement repris toute la place. Dans le silence retrouvé, plein d'oiseaux et d'eau remuée, chahuté par une houle légère, le boudin tanguait. J'ai fermé les yeux, j'avais mal au cœur. À l'avant, Samir s'est penché vers Sébastien et lui a tendu la main, a fait mine de le hisser avant de le relâcher. Il a fait ça dix fois d'affilée. Tout le monde se marrait, tout le monde se tenait les côtes, vraiment c'était à se tordre. À la onzième j'ai dit « maintenant ça suffit, vous êtes lourds ». Samir s'est retourné et m'a lancé un regard noir, les autres ont marmonné quelque chose comme « c'est bon, on rigole ». Quand Sébastien est remonté à bord, il était bleu et grommelait en claquant des dents, Samir l'a appelé Schtroumpf Grognon et de nouveau tout le monde a ri. Le Zodiac s'est remis en marche, le moteur a englouti les clapotis le ressac et les goélands, et l'eau est redevenue cette immense étendue de bitume. Quand nous sommes sortis, Samir m'a regardée d'un air navré et il a haussé les épaules. D'après lui il fallait que je me décoince, décidément je ne savais pas m'amuser.

Quelques minutes après, nous sommes passés à la suite : l'esprit de compétition, la culture de la gagne, c'est ainsi que l'animateur a présenté les choses. Je me suis retrouvée sur un kayak avec Astrid, ma supérieure immédiate, chef de groupe aux seins refaits et qui envisageait d'enchaîner maintenant avec le visage, pas grand-chose, hein, juste les lèvres et les pommettes. Trois jours plus tôt elle m'avait demandé mon avis, je n'avais pas pu m'empêcher de lui dire que je ne comprenais pas qu'on puisse vouloir ça, ressembler à ça, que des seins refaits ne ressemblaient pas à des seins de jeune fille mais à des seins refaits. Et qu'il en était de même pour les visages. À la différence près qu'en dépit de la profondeur abyssale de ses décolletés, ses seins restaient dans le domaine « privé ». Elle m'avait répondu que je n'y étais pas du tout, que je n'entendais rien à tout ça, qu'il y avait aujourd'hui des chirurgiens merveilleux, regarde Nicole Kidman et les autres. Je l'avais laissée dire, m'étais reprise, « oui sans doute tu as raison, va, fais ce que tu veux, ressemble à une vieille refaite plutôt qu'à une vieille tout court si ça te chante, ajoute le pathétique à l'irréversible, après tout c'est ton problème »... Nous avons eu beau ramer comme des folles, nos bras nos épaules ont eu beau prendre feu, nous avons eu beau lutter contre les courants, nous laisser tremper par les vagues qui se brisaient sur la pointe de l'embarcation, nous soulevaient à la verticale ou presque avant de nous laisser retomber, nous avons fini dernières et épuisées. Deux trois blagues machistes ont accueilli notre performance, Astrid tirait la gueule, en s'extrayant du kayak elle m'a glissé que nous

48

n'avions pas su nous coordonner et que ça voulait sans doute dire quelque chose quant à notre relation de travail. J'en suis restée bouche bée. Je suis allée m'asseoir sur le sable, prétextant une douleur au bras pour m'épargner l'épreuve suivante, une course par paires sur d'immenses planches de surf. J'ai défait ma combinaison, le soleil était suffisant à cette heure, j'ai fermé les yeux et je me suis laissé mordre. Quand je les ai rouverts, je n'ai pas regardé dans leur direction, leurs cris et leurs rires ne parvenaient plus à mon oreille, j'ai enfin vu le paysage, la lumière violente et la mer, compacte et nerveuse, le ciel acide et le tranchant des récifs au large. Ça m'a lavée de toute cette merde, pendant un bref instant je me suis sentie neuve et pacifiée, je portais en moi l'été parfait.

Un peu plus tard nous nous sommes retrouvés dans une salle donnant sur la mer, les cheveux encore humides et les muscles endoloris. Les tables étaient disposées en U et jonchées de bouteilles d'eau, un tableau blanc occupait le mur du fond, au centre de la pièce un rétroprojecteur l'éclairait d'un faisceau chargé de poussières et de particules diverses. Dans un coin, sur un chariot, des viennoiseries et deux thermos en inox, l'un rempli de thé l'autre de café, se détachaient sur le ciel mouvant. Deux ateliers nous attendaient, le premier portait sur la motivation des équipes et le second était annoncé comme une surprise, j'avais un mal fou à me concentrer, la mer aimantait mon regard et le laissait se noyer. Heureusement le séminaire commençait en douceur, les choses sérieuses ne débuteraient que le lendemain, les jeux de rôle succéderaient aux simulations, les cas pratiques aux évaluations individuelles. Un type en costume est entré dans la salle, par endroits sa peau rougissait en plaques aux contours imprécis, il nous a parlé pendant plus d'une heure. On avait l'impression qu'il s'adressait à des demeurés, articulait des phrases indigentes et souriait en permanence, comme un animateur de télévision. Tout le monde semblait boire ses paroles, tout le monde était suspendu à ses lèvres. Aucune des phrases qu'il prononçait ne me parvenait, mon esprit s'égarait dans la mer, on aurait dit qu'elle effaçait chacune des paroles qui s'échappait de sa bouche, on aurait dit qu'elle les réduisait en poussière, les désossait jusqu'à leur ôter le peu de sens qu'elles possédaient encore, comme on épuise un mot en le répétant indéfiniment. À la pause café ils étaient nombreux à se presser autour de lui, à lui poser toutes sortes de questions, à vouloir connaître son avis sur tel ou tel cas concret, à lui soumettre un problème apparu au sein de leur équipe et qu'ils échouaient à régler efficacement. À la plupart, il répondait en tendant sa carte de visite. Y figuraient son nom, son téléphone et son titre de consultant en management d'équipes, gestion des conflits, accompagnement du changement dans les organisations. Il a avalé une dernière gorgée de café puis, arborant un air mystérieux, nous a annoncé que l'atelier suivant allait commencer et qu'il ne manquerait pas d'apporter des éclairages sur la plupart de leurs questionnements. Les autres l'ont fixé d'un air gourmand. De nouveau j'ai eu envie de frapper au carreau, de réveiller tout le monde mais ça ne servait à rien, au fond c'était le contraire, c'est moi qui avais perdu pied, moi qui n'étais plus dans le réel, dans la «vraie vie» comme ils disaient. Nous sommes retournés nous asseoir à nos places, à ma gauche Astrid touchait ses seins comme si elle voulait vérifier qu'ils étaient toujours aussi ronds, aussi fermes, qu'ils n'étaient pas en train de se dégonfler en douce. Le consultant nous a regardés avec un large sourire aux lèvres, voilà le grand moment du séminaire était venu, la fameuse surprise, nous allions accueillir ici un grand compétiteur, plusieurs fois sacré champion du monde dans sa spécialité, qui avait fait rêver des centaines de milliers de femmes (clin d'œil en direction de la part féminine de l'assistance, cinq représentantes de l'espèce sur vingt) et sûrement quelques hommes aussi (rires gras). Cet homme exceptionnel allait pendant une heure nous faire partager son expérience de sportif de haut niveau et nous livrer les secrets qui avaient fait de lui un des plus grands champions que le pays ait comptés. Le type en question est entré alors que le consultant prononçait son nom, un murmure a parcouru l'assistance, Astrid m'a donné un coup de coude en me confiant à l'oreille qu'elle avait des posters de lui dans sa chambre quand elle était ado et qu'elle le trouvait trop cool. Je n'avais pas la moindre idée de qui il était, je ne m'étais jamais intéressée au sport et dans nos chambres, à Nathan et moi, on ne trouvait que Bob Dylan Leonard Cohen ou Neil Young, Barbara, Brel ou Ferré. Il devait mesurer un bon mètre quatre-vingt-dix, arborait dents blanchies et pattes-d'oie, cheveux courts grisonnants et bronzage UV, et sa chemisette serrée laissait deviner plusieurs dizaines de muscles dont je n'avais jamais soupçonné l'existence. Il s'est présenté avec un accent méridional prononcé, exagérément enjoué, Arthur Meinard, six fois champion du monde en figures et quatre en slalom, cinq médailles d'or aux jeux Olympiques, j'ai mis dix bonnes minutes à comprendre qu'il s'agissait de snowboard. Puis il s'est lancé dans un discours interminable où il était essentiellement question de performance, de confiance en soi, de pression, de préparation mentale et physique, de l'interaction entre le mental et le physique, d'être positif, de pensées négatives, de maîtrise et de connaissance de soi, le tout agrémenté d'anecdotes piquantes et de blagues douteuses. L'assistance était ravie, suspendue à chacun de ses mots, tandis que je m'échappais par la fenêtre où les oiseaux glissaient sans but, viraient accéléraient décéléraient, battaient trois fois des ailes avant de se laisser porter par les courants, on aurait dit qu'ils faisaient ça pour le pur plaisir de l'ivresse, on aurait dit qu'ils frissonnaient de s'abandonner ainsi à la vitesse. À plusieurs reprises Meinard m'a fixée, comme s'il sentait ma résistance, comme s'il tentait d'en venir à bout. Je me souviens d'avoir pensé à Nathan, de n'avoir pas pu m'en empêcher, je me souviens de m'être dit, s'il voyait ça, s'il était là qu'est-ce qu'il dirait?, je n'aimais pas me poser ce genre de question, je connaissais trop bien la réponse, son jugement sur la plupart des compartiments de ma vie m'abattait, bien sûr il trouvait mon mari déses-pérant, sa conversation et ses goûts éreintants, la ville et la résidence où nous vivions d'un ennui mortel, réprouvait mon boulot, notre choix d'avoir placé les enfants dans une école privée, il ne me reconnaissait pas, persuadé que je vivais la vie d'une autre, que tout ça ce n'était pas moi, que je m'étais perdue et que lui seul me distinguait encore derrière le maquillage, le costume et la parade. Bien sûr il ne le disait pas comme ça, et jamais de façon claire, mais ça crevait les yeux. J'ai chassé Nathan de mon esprit, il avait sûrement raison mais c'était si facile, il était si facile de juger sans jamais rien bâtir, sans jamais rien tenter, si facile de demeurer en lisière, de se tenir en retrait, il était si facile d'avoir les mains propres quand on les gardait dans ses poches. J'ai essayé de reprendre le fil du discours d'Arthur Meinard, son regard ne me lâchait plus, je crois qu'il regardait mes seins, il mimait la joie, l'entrain et l'énergie mais ses yeux étaient vides, à cet instant précis il m'a inspiré une sorte de dégoût, il me répugnait vraiment. La conférence s'est achevée sous les applaudissements, Astrid ne tenait plus en place, « il faut que je lui parle », répétait-elle en boucle, je suis sortie fumer une cigarette sur la terrasse. La mer s'était retirée et dévoilait des récifs noirs et luisants, le vent portait des odeurs de vase et d'iode, j'ai sorti mon téléphone de ma poche, j'avais envie de parler à quelqu'un mais à qui ?, je l'ai rangé et ça m'a mis les larmes aux yeux, je me suis sentie seule et foutue, je me suis sentie abandonnée.

Après ça nous nous sommes retrouvés dans une piscine d'eau de mer chauffée à trente degrés, des jets massants bouillonnaient partout, des douches aux débits variables crépitaient aux quatre coins du bassin, on se prélassait entre collègues, on s'observait à la volée, nos corps quasi nus inhabituels, plus gras qu'on ne l'aurait cru, moins lisses qu'on ne l'aurait pensé. Les hommes s'apostrophaient d'un bout à l'autre des jacuzzis, leurs vannes s'évanouissaient dans la rumeur aquatique. Dans un angle, à l'abri des regards, une eau lourde s'écoulait d'un gros tuyau courbé, tombait sur le crâne, la nuque et les épaules, tentait de vous faire ployer, je l'ai rejoint et je me suis laissé inonder, le sel me rongeait la peau, mes jambes étaient molles et s'affaissaient, bientôt mon corps entier a été immergé, seuls mes yeux dépassaient mais ils étaient noyés. Je suis restée longtemps ainsi, isolée par l'eau qui s'abattait sur mes cheveux, n'ouvrant les yeux que par brefs instants, ne découvrant qu'un monde incertain, réduit à des formes floues. Au bout d'un moment j'ai senti une main se poser sur mon épaule. C'était Astrid, « ben qu'est-ce que tu fous ? » m'a-t-elle demandé en me regardant comme si j'étais cinglée. Ses seins avaient l'air de vouloir sortir du peu de tissu qui les couvrait. Elle m'a annoncé qu'on n'allait pas tarder, j'ai regardé la pendule, ça faisait presque une heure que j'étais là-dessous, je suis sortie du bassin, j'étais remplie d'eau tiède.

Le dîner s'est déroulé dans le restaurant de l'hôtel. Les baies donnaient sur la promenade, des lampadaires éclairaient le sable d'un blanc phosphorescent et la mer épaisse, une étole de soie, une nappe de pétrole. Arthur Meinard paradait, inondait la table d'anecdotes, de récits sportifs, énumérait ses exploits, je suppose qu'à cet instant précis il devait sentir remonter en lui le frisson d'une gloire passée, qu'il devait s'imaginer que tout ça avait encore un sens, qu'on se souvenait encore de lui, que tous ses efforts, toutes ses médailles n'avaient pas été engloutis par la masse des événements du genre, dont chaque année portait un flot ininterrompu, renvoyant chaque exploit au rang d'anecdote quelques heures à peine après qu'il avait été accompli. J'ai passé le repas le nez dans mon assiette, le poisson disparaissait sous la sauce au beurre citronné, le riz était orange à force de curry, le vin me montait à la tête, une vague nausée a commence à m'envahir. Je me suis excusée je ne me sentais pas bien j'allais regagner ma chambre, Astrid a eu l'air déçue : une soirée karaoké était prévue au programme on allait s'amuser.

La chambre puait la peinture et le contreplaqué, j'ai ouvert la fenêtre et l'air marin s'est engouffré, étendue sur le lit les yeux fermés j'aurais presque pu y croire, mais il suffisait de les entrouvrir pour que tout s'écroule et que la laideur de l'endroit reprenne le dessus. J'aurais voulu trouver le sommeil mais ça ne servait à rien d'y penser je le savais bien, il y avait si longtemps qu'il me fuyait, il n'allait pas se laisser attraper un soir au Mercure à vingt et une heure trente. J'ai pris la télécommande, les chaînes défilaient sans que rien atteigne mon cerveau. Je me suis levée j'ai éteint la télé, je me suis précipitée dans le couloir, j'ai longé l'enfilade de portes trouées dans le crépi blanc. Chacune laissait filtrer des bruits d'eau, des voix étouffées, le commentaire d'un match de foot. J'ai collé mon oreille à l'une d'elles, de l'autre côté un type téléphonait, il s'adressait à une enfant, promettait que papa allait bientôt rentrer, à lui aussi elle lui manquait, il rapporterait une surprise, «ben non si je te le dis ce sera plus une surprise». Mon téléphone a vibré. J'ai sorti l'appareil de ma poche, l'écran pulsait et indiquait le prénom de ma sœur. Je n'ai pas décroché, j'ai marché dans le couloir, le téléphone a vibré de nouveau, signalant un message. J'ai traversé le hall désert, au comptoir un type en gilet vert somnolait devant l'écran d'un ordinateur. Je me suis éloignée de l'hôtel, à quelques mètres le néon d'un bar clignotait, j'entendais à peine la voix de ma sœur, des sanglots bouffaient ses paroles et la mer grondait par-dessus. J'ai réécouté le message. Sa voix a répété les mêmes mots, elle voulait que je la rappelle, il était arrivé quelque chose de grave. Par les fenêtres du bar je voyais les autres, bruyants et attablés, joyeux et probablement saouls. Au fond de la salle, debout face au téléviseur où défilaient les paroles d'une chanson, à deux mètres des enceintes qui en diffusaient l'accompagnement, Hélène chantait faux mais y mettait tout son cœur. Un léger crachin me mouillait, que le vent glaçait en un clin d'œil. J'ai frissonné, respiré un grand coup et j'ai rappelé ma sœur. Le temps est passé à la pluie, j'étais trempée et les vitres du bar dégoulinaient, à l'intérieur ils étaient déformés, flous par endroits, braillaient sur de vieilles chansons de Joe Dassin ou de Claude François, Clara m'a répété six fois la même chose, Nathan avait eu un grave accident de voiture, il était au volant et les secours étaient arrivés trop tard, d'après la police il était ivre, s'était pris un platane à pleine vitesse, j'ai répondu «il l'a fait exprès», je ne sais pas ce qui m'a pris c'est la seule phrase qui me soit venue à l'esprit, c'était complètement déplacé et puis qu'est-ce que j'en savais –, elle m'a hurlé dessus «qu'est-ce que tu racontes? t'es cinglée ou quoi?», et elle a raccroché. Je n'en ai jamais reparlé avec elle, n'ai jamais évoqué le sujet avec mes parents, pour tous Nathan avait eu un accident et point barre. Pour tous sauf pour moi. Mes parents étaient ainsi, et Clara leur ressemblait, obsédés par les apparences, terrifiés par tout ce qui dépasse ou dépare, par le qu'en-dira-t-on le jugement. Jamais ils n'auraient pu se résoudre à dire à qui que ce soit que Nathan était alcoolique, cliniquement maniaco-dépressif, autodestructeur et profondément malheureux. Même pas à eux. Même pas alors que ça crevait les yeux. Rien ne devait troubler ni remettre en cause les catégories définies pendant l'enfance : j'étais mature, effacée sérieuse et responsable, Clara la benjamine était pleine d'énergie, volontaire et brillante, et Nathan bien sûr, bien que l'aîné, perdu au beau milieu, était « hypersensible », émotif, et éprouvait des difficultés à trouver sa place mais rien de plus. Nous étions une famille « normale », sans particularité. Comme si ça avait un sens. Comme si ça existait quelque part. J'ai tenté de rappeler Clara mais elle m'a raccroché au nez. Je ne lui en ai pas voulu, elle était ravagée par le chagrin et, de mon côté, je l'emmerdais avec cette histoire de suicide. Je sais que ça l'a terriblement choquée. Qu'elle a pensé que j'étais inhumaine, qu'elle n'a pas compris que je ne fonde pas en larmes à l'autre bout du fil, que je ne hurle pas. J'imagine qu'à sa place j'aurais réagi pareil. Et l'enterrement n'a rien arrangé. Je ne supportais pas de la voir effondrée à ce point, j'avais l'impression qu'elle me volait quelque chose, j'avais l'impression d'être propriétaire de ce deuil et qu'elle me le confisquait en se répandant ainsi alors qu'elle ne savait rien de lui, alors que née dix ans après lui et neuf après moi elle ne nous avait jamais connus qu'à distance. La vérité c'est qu'au moment de l'appel j'étais si obsédée par moi-même, par ma culpabilité, qui m'avait sauté à la gorge et y avait planté ses crocs, que je n'avais pas compris qu'il était mort. C'était si étrange, inexplicable. Je n'avais pas compris. Pas réalisé. Pourtant je m'y attendais. Depuis si longtemps je m'y attendais. Il y avait si longtemps que ça me réveillait la nuit. Si longtemps que je m'en tenais pour responsable. Je n'avais pas été là pour lui. Pas assez en tout cas. Et ces derniers mois moins que jamais. Sous la pluie face au bar-karaoké c'est à ça que j'ai pensé, au nombre de fois où voyant apparaître son numéro je n'avais pas décroché, au nombre de fausses excuses que j'avais invoquées pour éviter un déjeuner, une visite, un dîner. À la dernière soirée que nous avions passée ensemble, à l'engueulade avec Alain et à mon silence total après ça. Oui c'est à ça que je pensais. La réalité de sa mort est venue me faucher beaucoup plus tard.

Astrid m'a aperçue par la vitre. Elle m'a adressé un signe. Je lui ai répondu d'un geste vague et j'ai fait demi-tour. Le bar de l'hôtel était presque désert. J'ai commandé un double Islay, le genre de whisky que préférait Nathan, après chacun de ses passages à la maison Alain pestait qu'il lui avait descendu ses Lagavulin 16 ans d'âge, cet enfoiré. À ma droite, Arthur Meinard était seul et en tenait déjà une sévère. Il a promené sur moi son regard vitreux, le moins qu'on puisse dire est qu'il avait perdu de sa superbe. On aurait dit un vieil enfant triste. Il s'est lancé dans un discours standard de dragueur de comptoir, j'étais en pièces, anéantie, il était pathétique, je ne l'ai pas laissé s'éterniser, nous sommes montés dans sa chambre. En dix-sept ans de mariage, pas une fois je n'avais trompé mon si gentil mon si parfait mari, pas une fois je n'y avais pensé. Je ne me souviens pas d'avoir connu quelque chose d'aussi froid, d'aussi fruste, d'aussi vide. Jamais je n'ai eu à ce point conscience d'être constituée de viande. Je suis retournée dans ma chambre, le corps endolori, mon sexe me brûlait comme s'il avait été empli de sable ou de verre. Je me suis fait couler un bain. J'y suis restée une bonne partie de la nuit. À la fin l'eau était gelée et mon corps bleu.

Pour mon dixième jour ici, à mon tour, je l'ai vu faire. Rien ne s'était plus produit depuis le saut réussi du couple d'amants. La station battait au ralenti, quelques touristes s'y risquaient en début d'après-midi, le reste du temps c'était la vie au jour le jour, menue et régulière, comme partout ailleurs : les enfants qui vont à l'école ou en sortent, les parents au travail les mères de famille sur les bancs du square, les lycéens au base-ball dans les cafés sur leur scooter après les cours, les boutiques qui s'emplissent et se vident selon les heures, les odeurs de repas, les voix s'échappant d'un bar minuscule, réduit à l'essentiel, un comptoir et dix tabourets pivotants, des hommes et des femmes à pied ou sur un vélo, s'arrêtant pour contempler la mer, fumer une cigarette, prier au sanctuaire, des voitures roulant au pas dans les ruelles, des femmes voûtées aux cheveux couverts d'un fichu passant un coup de balai devant leur maison, donnant à boire à leurs plantes, puis rentrant surveiller la cuisson de la viande et des légumes. Le soir aux abords des restaurants montait l'odeur des maquereaux grillés, les clients se faisaient de plus en plus rares, à la pension nous n'étions plus que trois, un couple de retraités japonais me faisait office de compagnie. À la fin des repas Hiromi venait s'asseoir à ma table. Sa mère lui avait conseillé de parler avec moi pour perfectionner son anglais. Je lui enseignais quelques rudiments de français. Elle me posait toutes sortes de questions sur l'Europe en général et la France en particulier. Je biaisais pour ne pas la décevoir, pour elle comme pour beaucoup de Japonais la France et l'Angleterre demeuraient des sommets d'élégance, de distinction et de raffinement, la réalité me semblait si violemment lointaine de l'image qu'elle s'en faisait, je ne voyais pas l'intérêt de la déciller. Après tout les choses étaient symétriques, elle haussait les épaules dès que je m'émerveillais d'un tissu, d'un plat, du paysage, de la beauté des jardins et des temples, des montagnes qui paraissaient regorger d'esprits, des arbres à kakis des bambous des pins des cèdres des érables, tout cela n'était selon elle qu'une vitrine, un attrape-touriste, la vérité de son pays était ailleurs, inaccessible aux yeux étrangers, logée dans les familles, au cœur des entreprises, dans le secret des maisons, des bars, des boutiques, des squares, des ruelles banales, et elle n'était pas belle à voir.

Il était encore tôt. Nous n'étions pas nombreux à emprunter le sentier qui borde les falaises. Le vent faisait tournoyer les oiseaux, ils semblaient aspirés par le vide comme par un siphon. Sous le ciel dégagé d'un bleu encore pâle, les roches étaient presque jaunes, aucune trace de végétation ne venait troubler leur aridité, le jeu des brisures, des lignes droites. La mer bouillonnait à leur pied, se fracassait en écumant avant de s'écarter en une houle contradictoire. L'ensemble avait quelque chose de sévère, d'implacable, se pencher tout au bord c'était un vertige insensé, l'eau et les récifs agissaient comme un aimant, le corps entier paraissait attiré tandis que toute pensée s'absentait pour laisser la place au bruit du ressac et au sifflement du vent. J'ai reculé d'un pas, comme on s'arrache au pire, au plus noir de soi. Plus loin sur la droite, il m'a semblé apercevoir une silhouette, si près du bord elle ne pouvait plus tenir à grand-chose, quelques centimètres de roche à peine. J'ai rebroussé chemin, fendu la lande minimale réduite à quelques flaques de terre semées d'herbes sèches au milieu des pierres bouffées par le lichen. Par endroits des chardons mauves se dressaient dérisoires dans ce désert de granit et me griffaient les chevilles. À chaque pas les choses devenaient plus précises, il s'agissait d'un très jeune homme, un adolescent, autour de son corps maigre ses vêtements battaient comme un drapeau. Il était vraiment sur le point de basculer. J'ai fait quelques pas encore, des cheveux de jais hérissés d'épis et de mèches lui barraient le visage, par moments le vent découvrait ses

yeux maquillés, son nez et ses lèvres de fille, son menton
pointu, il sortait tout droit de l'imagination d'un dessi-
nateur, penché sur le vide il paraissait si irréel, je n'ai pas eu
peur, il me semblait qu'une fois dans l'air des ailes allaient
lui pousser dans le dos. J'étais à moins de dix mètres de lui
quand un homme a surgi de nulle part. Je l'ai tout de suite
reconnu. C'était lui, Natsume Dombori, banal et discret,
vêtu d'un pantalon gris et d'un coupe-vent noir, une casquette de base-ball vissée sur la tête. Tout à fait conforme
aux photos que j'avais trouvées sur la Toile, la veille de mon
départ j'avais consacré ma journée à surfer à sa recherche,
on parlait de lui dans les journaux du monde entier et il
était là sous mes yeux. Il n'avait l'air de rien, un Japonais
sexagénaire parmi d'autres, comme on en croise partout,
en groupes compacts, un appareil photo autour du cou,
souvent munis d'une canne en bois, le menton levé vers
les érables rougissants. Il s'est approché du gamin et s'est
posté près de lui, a commencé à lui parler, d'où j'étais je
n'entendais aucun des mots qu'il prononçait, du reste
cela n'aurait servi à rien je n'aurais rien compris, je voyais
juste ses lèvres s'agiter et l'adolescent demeurer immobile,
la tête baissée, les yeux rivés aux flots grisâtres. La conversation a duré de longues minutes. Le vacarme de la mer pro-
jetée contre les roches emplissait tout, bouillonnait jusque
dans mon cerveau. Le vent me plaquait en arrière, me giflait
au visage, même les oiseaux se planquaient, profitaient de

la moindre anfractuosité pour se blottir, seul un épervier luttait, à coups de minuscules battements d'ailes il nous surplombait immobile, on aurait dit qu'il observait la scène. Au bout d'un moment Natsume Dombori a tendu son bras vers le gamin, lui a posé la main sur l'épaule et l'a saisi d'un geste doux mais ferme, autoritaire et tranquille. J'étais pétrifiée, fascinée par ce que je voyais : le gamin s'est soudain détendu, j'ai compris qu'il renonçait, cette fois c'était fini, il se tenait toujours aussi près du bord mais on sentait que c'était fini, j'en avais le souffle coupé. Ils ont fait demi-tour, le vieux marchait d'un pas sûr et décidé, pas une fois il ne s'est retourné pour vérifier que le gamin le suivait bien à la trace. Ils m'ont croisée en silence, sont passés à quelques centimètres de moi, ignorant ma présence. Je les ai regardés traverser la lande caillouteuse et pelée pour rejoindre le sentier. Je me suis mise en marche à mon tour, leur ai emboîté le pas jusqu'à la station, plus on s'en approchait et plus le vent faiblissait, aux premières maisons il était nul, l'air paraissait plus chaud, les rues vous enveloppaient comme une couverture, protégées de l'âpreté sauvage et cinglante des falaises elles avaient quelque chose de rassurant, une chaleur modeste et réconfortante qui vous laissait entendre qu'après les grands vertiges vous étiez revenu au calme, que la vie reprenait, que vous étiez sauvé. Même l'océan, aux abords de la plage, semblait changer de nature, ne paraissait plus si menaçant.

Je me suis sentie soudain vidée, comme si moi aussi là-haut j'avais laissé le plus gros de mes forces.

Natsume Dombori vivait en retrait de la mer, tout près du commissariat où il avait officié durant plusieurs décennies. Une vie entière à compter les morts au matin, identifier les corps, prévenir les familles, des années macabres et vouées au malheur. Nathan avait passé près d'un mois chez lui, j'ignore ce qu'il y avait trouvé mais il en était ressorti métamorphosé. «Mieux qu'une cure de sommeil», avait-il plaisanté. J'imagine l'expression qu'avait dû prendre alors son visage, un sourire triste, comme on s'excuse du mauvais goût que prend parfois sa propre vie. Je n'ai jamais su comment il s'était retrouvé dans cette ville, s'il y avait débarqué par hasard ou si c'était le but de son voyage, Louise elle-même l'ignorait, elle ignorait aussi qu'il était au Japon à ce moment précis, tout comme je l'ignorais moi-même : je n'avais plus de lui que des nouvelles lointaines et imprécises, à cette époque il n'avait plus de travail, je le supposais à court d'argent, quelques mois plus tôt je lui avais prêté trois mille euros dont je savais ne jamais revoir la couleur, comment aurais-je pu seulement l'imaginer sillonnant le pays jusqu'à ses finistères?

La dernière fois que j'avais vu Nathan, il allait mal mais cela n'avait rien d'exceptionnel, c'était la règle générale, qui ne souffrait que peu d'exceptions. Comme toujours il avait débarqué sans prévenir, les enfants avaient sauté de joie en le voyant, mon mari un peu moins.

— Et puis merde, on ne l'a pas invité, c'est quoi ces manières de s'imposer comme ça chez les gens !

— Nous ne sommes pas des gens, avais-je cru bon de répliquer.

— Attends. C'est bien toi qui m'as dit que tu ne le supportais plus, la dernière fois.

Je n'avais rien répondu, Nathan avait fait irruption dans la cuisine, embrassé Alain avec effusion, ainsi qu'il le faisait toujours avec n'importe qui, plein d'entrain et d'une affection débordante qui parfois m'attendrissait mais le plus souvent me gênait. Qu'est-ce qui avait pu m'anesthésier à ce point ? Qu'est-ce qui m'avait asséchée au point de trouver inconvenante toute manifestation de tendresse, tout épanchement ? Comment avais-je pu si long-temps justifier ça par la pudeur, la retenue ? J'étais sèche et quasi morte, voilà la vérité. Enfermée à double tour, verrouillée. Sèche et morte, voilà ce que j'étais devenue. Nathan était resté trois semaines, il n'avait plus de chez-lui avait loué son appartement à un étudiant argentin pour se « refaire », il dormait dans le canapé et laissait le télé-viseur allumé, vidait les bouteilles fumait joint sur joint pendant la nuit et s'agitait dans son sommeil. Je rentrais tard du travail, trouvais Alain exaspéré, la plupart du temps Nathan s'éclipsait juste avant le repas et ne revenait qu'au lever du jour, saoul et ayant perdu je ne sais quoi dans la bataille, un jour son portefeuille, un autre ses clés, parfois blessé au visage et aux bras, de longues griffures le rougissaient comme s'il avait dormi dans les ronces. Il se couchait tandis que les enfants se levaient pour avaler leurs corn-flakes en bâillant. Alain partait au bureau puis c'était moi, j'ignore ce qu'il faisait de ses journées, je l'imaginais comater enroulé dans un drap, faisant défiler les chaînes de télé en avalant des céréales, des chips, des bouts de fromage, n'importe quoi. Certains soirs il restait à la maison et une fois le dîner achevé se lançait dans d'interminables développements que l'alcool rendait agressifs et flous, les considérations définitives le disputaient aux jugements blessants, la mauvaise foi à l'arrogance. Alain rongeait son frein, l'écoutait pérorer sur tout et n'importe quoi, un jour sur le jardinage qu'il tenait pour une activité de fasciste (garder ce qui est fort, couper ce qui est faible et empêcher le fort d'être plus fort) alors qu'Alain y consacrait l'intégralité de ses dimanches, le lendemain sur les banques qu'il considérait comme un abominable repaire d'escrocs irresponsables et de rapaces sans morale ni scrupules (Alain travaillait à BNP Paribas depuis bientôt dix ans), le surlendemain sur la politique du gouvernement concernant l'immigration, la sécurité, la fonction publique (Alain, fidèle à la tradition familiale, démocrate et chrétienne, avait longtemps voté UDF, avant de se rabattre sur l'UMP après que François Bayrou avait opéré un virage qu'il réprouvait), d'autres fois encore sur l'urbanisme horizontal et la ségrégation géographique qui en découle et qu'il tenait pour responsable d'une bonne partie des maux de notre société (nous vivions dans un lotissement haut de gamme à la sortie d'une petite ville de banlieue résidentielle dénuée de centre), sur le sport qu'il jugeait gangrené par l'argent, les médias qu'il pensait corrompus et assujettis au prince, les journalistes, l'environnement, l'Afghanistan, la crise financière, les traders les bonus le salaire des patrons, les sujets s'enchaînaient et les pensées circulaient sous son crâne, parfois brillantes mais le plus souvent gorgées de truismes et d'opinions mille fois lues, mille fois entendues, à la télé dans les journaux sur la Toile au comptoir des bars, partout.

J'ai pris mon mal en patience. J'ai attendu en vain ce jour, qui finissait toujours par arriver, où, rentrant du travail, je le trouverais sobre et radieux, léger comme une plume, affairé dans la cuisine, les enfants attablés autour de lui, buvant ses paroles et riant à ses blagues tandis qu'il éplu-chait des légumes, tranchait des morceaux de viande ou de poisson, confectionnait une pâte qu'il s'apprêtait à garnir. Les repas étaient alors incroyablement joyeux, Nathan racontait toutes sortes d'histoires et se levait entre les plats pour inviter Anaïs à danser. Alain regardait tout ça d'un œil morne, s'il ne supportait pas mon frère ivre et déprimé, il ne l'aimait pas non plus gai volubile et fan-tasque. Il montait se coucher vers dix heures, les enfants suivaient un peu plus tard et nous restions seuls tous les deux, Nathan roulait un joint que nous partagions en écoutant un disque. Nous discutions jusqu'à l'aube, il m'accompagnait dans le jardin ou les allées de la résidence, nous marchions sous la lune en nous tenant le bras et en parlant à voix basse, finissions par nous asseoir au milieu de la pelouse sous le grand marronnier, regardions les fenêtres des maisons s'éteindre une à une, guettions les ombres derrière les rideaux, échangions nos secrets comme le font les gosses. Je l'engueulais quelquefois et il m'en remerciait, « J'ai parfois besoin qu'on me recadre et tu es la seule à pouvoir le faire », disait-il, j'avais alors l'impression de le retrouver, j'avais alors la certitude qu'il n'existait personne en ce monde d'à ce point proche, avec qui il me semblait à ce point me confondre. Il tenait deux ou trois jours ainsi, exalté, bourré d'énergie, ne parlant plus que de son roman en cours, cette fois il allait le finir, il s'en sentait la force, j'étais si heureuse de le voir ainsi, tendu, vibrant, solaire, je n'étais pas dupe mais je voulais y croire, je connaissais par cœur ses oscillations, ses revirements incessants mais je voulais y croire, la plupart du temps jusqu'ici il quittait la maison euphorique mais fragile, je rentrais du travail et trouvais un mot sur le frigo, « je suis parti merci pour tout je t'aime petite sœur », après ça je ne le revoyais qu'à la dérobée, un déjeuner chez les parents un café à Paris un coup de fil, j'ignore ce qu'il faisait de sa vie mais il disait aller bien, à sa voix j'avais l'impression qu'il buvait moins, ou qu'il prenait la peine de ne plus m'appeler saoul. Un jour il m'annonçait avoir trouvé un travail, la semaine suivante une copine ou un nouveau sujet de roman, puis il projetait de se rendre en Afrique ou au Japon, gonflé à bloc, plein d'entrain et de bonnes intentions. Ça ne durait jamais longtemps. Quelques semaines tout au plus. Au moindre souffle de vent à la moindre averse à la moindre fissure tout s'écroulait, tout recommençait, les appels en pleine nuit, les crises d'angoisse ou de panique, sa voix pâteuse à l'autre bout du fil, les délires incompréhensibles auxquels je me contentais d'acquiescer, les sanglots et les menaces d'en finir. Il finissait alors par réapparaître, à l'improviste, les yeux fiévreux, souriant mais chancelant, cramé, usé jusqu'à l'os, sec et tranchant, prêt à craquer, à prendre feu à la moindre étincelle.

Mais cette fois-là, la dernière, il n'y avait pas eu de répit, pas la moindre accalmie, aucune remontée vers la lumière, aucune épiphanie. Les soirées avaient succédé aux soirées, toujours plus pénibles et tendues, Nathan ne se levait plus du canapé, ne prenait plus la peine de se cacher des enfants pour boire ou fumer, les cadavres s'entassaient sur la table basse et les cendriers débordaient, ses yeux ne quittaient jamais leur voile vitreux, son sourire une aigreur douloureuse qui parfois glissait vers le mépris, le sarcasme, un cynisme d'alcoolique insupportable. Les

journées au boulot m'usaient, je tenais ferme mais en rentrant il fallait encore faire bonne figure, être auprès d'Alain
et des enfants, supporter Nathan, ses monologues, son
apitoiement sur lui-même, sa voix geignarde qui m'exaspérait, ses larmes, ses mégots ses chaussettes ses bouteilles
vides, sa présence même, de plus en plus lourde et poisseuse, de plus en plus pénible, diffusant dans la maison
une tristesse collante, une mollesse dont je sentais qu'elle
me contaminait et n'allait pas tarder à m'emporter. Alain
me suppliait de le virer mais je n'en avais pas le courage,
c'était mon frère et il allait mal, il était de mon devoir de
m'occuper de lui, de l'aider. Mon si gentil mon si parfait
mari n'était pas de cet avis, sa patience s'érodait, si je
refusais de lui parler il allait s'en charger. Il n'avait pas eu
besoin de le faire. Nathan était parti quelques jours plus
tard. Ce soir-là comme chaque soir ils s'étaient accrochés
à propos des enfants, des collèges « de bourges » où nous
les avions inscrits, des lycées « d'excellence » où Alain souhaitait les faire entrer, des relations qu'il devait faire jouer
pour cela. Nathan était ivre et s'inquiétait pour eux, pour
ce que nous allions en faire, ce qu'ils allaient devenir,
des singes savants ignorant du monde, poussant parmi
leurs semblables et surprotégés, les membres suffisants
d'une caste qui se reproduisait de génération en génération,
à l'écart de la société et en surplomb, convaincus de leur
valeur et de leur supériorité, convaincus d'être l'élite de

la nation et d'avoir le droit pour cela de la diriger, pleins de morgue, d'assurance et de mépris. Alain serrait les dents, prenait son mal en patience, je le sentais bouillir mais il se contenait. J'avais fait signe à Nathan de se calmer mais il ne m'avait pas écoutée. Au lieu de s'éteindre, la conversation avait glissé sur le terrain politique, Nathan s'était lancé dans un de ses discours favoris : selon lui être de droite était toujours, toujours, une défaite de l'intelligence, de la pensée, une régression, un retour à l'ordre primate des réflexes basiques de l'être humain, la peur de l'autre l'instinct de domination la loi du plus fort le repli identitaire, au fond c'était le refus de la civilisation, de la connaissance et de la réflexion. Je m'étais éclipsée, j'avais fui dans la cuisine, prétexté un plat à ranger, des couverts à changer, j'avais si peur que ça explose, je sentais Alain sur le point de craquer, je sentais que le ton allait monter, que des mots trop forts et définitifs étaient sur le point d'être prononcés. Ceux d'Alain avaient dû être extraordinairement blessants, aujourd'hui encore j'ignore ce qu'ils contenaient, Alain n'a jamais voulu me le dire, « la stricte vérité », avait-il coutume d'éluder. Tout ce que je sais c'est que Nathan était parti en claquant la porte et qu'il n'a jamais remis les pieds chez nous, tout ce que je sais c'est qu'après ça je ne l'ai plus jamais revu, de temps à autre les parents me donnaient des nouvelles, il avait retrouvé du travail récupéré son appartement peut-être même une

73

copine, je me contentais d'enregistrer les informations tandis qu'ils se lamentaient qu'un frère et une sœur qui avaient été si proches, des jumeaux presque, puissent en arriver à tant d'indifférence. Je répondais qu'il en allait ainsi dans la plupart des fratries, on s'éloignait les uns des autres jusqu'à devenir de parfaits étrangers, une fois propulsés dans nos vies respectives plus rien ne nous liait, même plus le puissant ciment du quotidien, la plupart des gens continuaient à faire comme si de rien n'était mais pour ma part je ne comprenais pas ce genre d'attitude, ne concevais pas qu'on garde contact quand plus rien ne le justifiait, au nom de quoi au juste ces sourires de façade, ces déjeuners éreintants, ces conversations creuses, ces sentiments éventés. Bien sûr je n'en pensais pas un mot, et pas un jour ne passait sans que le silence de Nathan me brûle. Pas un jour ne passait sans qu'à l'écran de mon téléphone défilent des noms jusqu'à s'arrêter sur le sien, que mon doigt presse la touche appel et aussitôt après raccroche.

La maison de Natsume Dombori bordait le canal de ses façades de bois sombre. Plusieurs niveaux de toit et d'auvent, un balcon abrité, une galerie au rez-de-chaussée, des fenêtres aux vitres protégées par des stores de bambou s'articulaient en une architecture incroyablement complexe pour un si petit bâtiment. Ils ont pénétré à l'intérieur sans refermer la porte. J'ai entrevu une table munie de chaises et un bureau jonché de papiers, les cloisons écartées laissaient deviner une cuisine mal rangée et une pièce équipée d'un lit, des plantes vertes grimpaient un peu partout. Je tenais d'Hiromi qu'à l'étage trois chambres abritaient ses protégés : il en hébergeait rarement plus de deux mais ça pouvait monter jusqu'à quatre ou cinq en hiver. Quand je lui avais demandé de me raconter plus précisément ce qui se passait dans cette maison, Louise en avait été incapable. À cette même question, Nathan lui avait simplement répondu :

— Rien, il s'occupe de nous, c'est tout. Ça fait du bien par moments d'avoir quelqu'un pour s'occuper de vous. Il est là quand on se réveille, il nous fait un café, on discute, on se promène, on se repose.

— Mais la première fois, avait-elle insisté, quand il a posé sa main sur ton épaule? Il t'a bien dit quelque chose?

— Non. Pas vraiment. Il m'a demandé si j'avais une minute à lui accorder. Il a planté ses yeux dans mes yeux et il m'a dit qu'il ne fallait pas sauter. Il m'a prié de le suivre et je l'ai fait, je l'ai suivi jusque chez lui. Il m'a fait couler un bain, m'a préparé du café au lait et une part de gâteau aux haricots rouges. Puis il m'a montré ma chambre. J'ai dormi deux jours.

Longtemps après avoir quitté Louise j'avais repensé à cette conversation. « Il s'occupe de nous. » Et moi, avais-je songé, qui s'occupe de moi? Qui me retient si je tombe? Qui posera sa main sur mon épaule?

Natsume a refermé la porte et j'ai laissé la maison dans mon dos. Sans y penser je me suis dirigée vers le temple. Qui s'occupe de moi? me répétais-je le long du canal bordé de cerisiers aux feuilles dorées, traversant le pont étroit pressant le pas, comme aimantée par le pin millénaire le silence et la palpitation lente de l'écorce, l'odeur d'encens le goût du matcha et l'écoulement de la source sur les pierres. Le chemin s'est élevé à flanc de colline et la forêt m'a avalée, le soleil s'était caché tout était vert et sombre, des corbeaux gueulaient et dans le ciel tournaient des buses, j'ai fini par courir, quand j'ai passé la porte du temple j'étais hors d'haleine, j'ai eu le sentiment d'être sauvée, de quoi je n'en savais rien mais j'étais enfin à l'abri, plus rien ne pouvait m'arriver, j'étais à ma place comme nulle part ailleurs, assise en tailleur sur le bois de la galerie, face au pin tout près de la fontaine. Les pieds dans la mousse une femme aux cheveux couverts d'un fichu balayait les feuilles d'érable, à ses côtés sa collègue ramassait les épines, les extrayait du vert à l'aide d'une pince ; plus loin un jeune homme au crâne rasé, vêtu d'un samue de toile, ratissait les cailloux blancs du jardin sec, sous le regard de son maître. Je suis restée plus d'une heure à observer leurs gestes précis et minuscules, à admirer leur calme et leur patience. Derrière moi des gens se sont agenouillés pour prier, ils étaient une vingtaine, le prêtre a fait son apparition, s'est mis à psalmodier des sutras tandis qu'un de ses assistants battait le rythme à l'aide d'un kyodaiko, sa voix monocorde circulait dans l'air, j'ai fermé les yeux et l'ai laissée entrer en moi, elle a bientôt pris toute la place et s'est mise à vibrer sous ma peau.

Sur le chemin du retour je me suis arrêtée à la poste. Je suis entrée dans le box réservé aux appels internationaux, il ne devait pas servir très souvent, c'est Katherine qui me l'avait indiqué, elle appelait Brighton chaque jour pour prendre des nouvelles de ses chats, « la seule famille qui me reste, avait-elle plaisanté. Mais ils sont comme les enfants devenus grands, vous savez, quand ils me retrouvent ils me font la fête mais au bout de deux heures ils n'en ont plus rien à foutre. Pourvu qu'ils aient à manger si vous voyez ce que je veux dire». Je voyais très bien. Romain et Anaïs étaient devenus de longs adolescents dégingandés et mutiques, fuyant mes baisers et se soustrayant à mes étreintes comme à mes questions, s'enfermant dans leur chambre dès que je rentrais du travail, je les regardais interdite, me demandant où avaient bien pu passer mes enfants et leurs yeux dévorants, suspendus au moindre de mes gestes à la moindre de mes paroles, me couvrant de leurs lèvres me répétant qu'ils m'aimaient à longueur de journée. J'avais beau les regarder et tenter d'établir une continuité entre mes tout-petits lovés contre moi sur la plage, dans le lit ou le canapé et ces étrangers qui vivaient dans ma maison et n'attendaient plus de moi que des repas chauds, du linge propre, de l'argent de poche et des autorisations de sortie les plus larges possibles je n'y parvenais pas, c'était une chose déchirante et secrète, le sentiment d'une perte impossible à partager, un deuil sans objet qui laissait en moi une nostalgie glacée, un froid polaire, un désert. J'ai composé le numéro de la maison. C'est Romain qui a décroché de sa voix molle.

— Mon chéri, c'est maman, ça va?

— Ouais. Ça va. Tu veux que je te passe papa? Il vient de rentrer.

— Oui, mais on peut parler une minute. Tout va bien à la maison ?

— Ouais.

— Rien de spécial ?

— Ben non. Rien de spécial.

— Bon… Et Anaïs ?

— Elle est pas là, tout de suite, mais ça va. Et toi ?

— Oui, ça va. Je me repose. Je me promène. J'ai du temps pour moi. C'est bien.

— Et tu rentres quand ?

— Je ne sais pas encore. Bientôt.

— OK. Bon, ben, profite bien…

Puis il m'a passé Alain. Mon si gentil mari s'est efforcé de s'inquiéter, de m'écouter lui raconter mes journées, mais il semblait distrait et agacé, au fond il ne comprenait pas ce que je foutais là, m'en voulait de lui laisser la charge des enfants, il était si occupé par son boulot, la crise rendait tout affreusement fragile et complexe, surtout dans le domaine financier, son domaine, quand bien même il ne s'occupait que des particuliers, sur lequel on disait tout et n'importe quoi, qu'on accusait de tous les maux mais sans lequel, n'est-ce pas, rien n'était possible. Je l'ai laissé finir, je ne lui ai rien dit des falaises, de Natsume Dombori, de l'adolescent à la coiffure de manga, Alain ne savait pas que j'étais ici, il me croyait à Kyoto où j'avais déclaré vouloir visiter des temples et me faire enseigner les rudiments du zen, c'était une sorte de retraite, à un moment où j'avais besoin de me recentrer, il m'avait écoutée sans rien répondre, elle a pété les plombs, avait-il dû penser en son for intérieur, « si ça peut t'aider à retrouver ton équilibre, alors très bien », avait-il conclu, dissimulant son incompréhension.

J'ai raccroché et je suis ressortie du box, derrière leur guichet des employés en bras de chemise classaient des liasses de documents, ils m'ont dit au revoir en plissant les yeux et en inclinant brièvement la tête, je leur ai répondu en essayant tant bien que mal de répéter phonétiquement les mots qu'ils venaient de m'adresser. J'ai marché dans les rues au hasard, des rues de maisons basses et de poteaux télégraphiques distribuant des grappes de lignes noires, certaines ne filaient qu'à deux mètres cinquante du bitume. Aux groupes d'écoliers en uniforme qui s'égaillaient à chaque carrefour, j'ai déduit qu'on devait être en plein milieu d'après-midi, je n'avais rien avalé depuis le matin, j'ai guetté une enseigne ou une échoppe, j'ai fini par déboucher sur la plage, la mer déferlait nerveuse et gris perle sous le soleil abrasif, plus loin un bar avait l'air ouvert, je me suis installée près de la fenêtre et j'ai demandé des toasts et une bière. Au fond de la salle, Hiromi se laissait embrasser par son surfeur américain, ses mains s'aventuraient haut sur ses cuisses, j'ai pensé à la jeune fille sage du matin, à celle qui s'enfuyait une fois sa mère endormie, j'ai pensé à moi à son âge, à Nathan qui venait me réveiller au cœur de la nuit, à nos pas dans la maison, veillant à ne pas réveiller les parents ni notre petite sœur, aux rues désertes dans la nuit blême, à la forêt profonde et noire, au tremblement du feu et à nos corps serrés sous la vieille couverture orange, les bois bruissaient peuplés d'insectes, grouillant d'animaux invisibles, d'oiseaux muets, de renards et de rongeurs, il me semblait entendre les feuilles pousser, les crosses des fougères se déplier, les bourgeons éclater en claquements minuscules. On rentrait avant six heures, juste avant que le réveil de papa ne sonne. Avec le recul, je me dis que maman le savait, je l'imagine entrouvrir la porte de ma chambre et découvrir le lit vide, je l'imagine debout dans la maison, incapable de trouver le sommeil tant que nous ne serions pas rentrés sains et saufs, se faisant chauffer une troisième tisane, feuilletant nerveusement un *Marie Claire*, faisant défiler les chaînes de télé sans s'arrêter jamais sur aucune, je l'imagine ne rien en dire à papa pour éviter les histoires, je l'imagine bénir le légendaire sommeil de plomb de mon père, «la maison pourrait s'écrouler…» avait-elle coutume de plaisanter. Je l'imagine se recoucher après le départ de papa en RER, une heure et quart jusqu'à la Défense, son costume gris et sa mallette à la main, son visage chiffonné dans le tout petit matin, puis notre départ à nous, épuisés et enchaînant les cigarettes à l'arrêt du bus, taxant aux bourges du Parc du Château les exercices de maths et de physique, puis somnolant au fond du car, reliés par les écouteurs d'un même walkman, avant de traverser le parc du lycée jusqu'aux classes où comataient la plupart des élèves.

Je suis repartie du café tandis que le ciel se couvrait, la mer était verte par endroits, d'un bleu profond à d'autres. Sur le perron de sa maison, adossé à son distributeur de boissons, l'homme à la pomme fumait une cigarette. Il m'a saluée en me tendant sa main droite. Je me suis assise à ses côtés. J'ai fumé moi aussi. À l'intérieur de la maison, le chevalet présentait une toile à peine entamée, une vague odeur de peinture et de térébenthine flottait dans l'air. La télévision était allumée et diffusait un programme débile, une jeune femme à la voix suraiguë s'exclamait à tout bout de champ et encourageait des candidats déguisés en animaux grotesques à se lancer dans des défis stupides. Grimper des pentes savonneuses, éviter les lattes d'un tourniquet muni de barres leur arrivant aux genoux, se prendre toutes sortes de coups et finir couverts de boue. De temps à autre il jetait un œil aux images, puis détournait le regard, fumait une cigarette et fixait la mer, sous le ciel devenu uniformément gris une poignée de surfeurs en combinaison noire glissait au milieu des bouillonnements d'écume. Plus haut sur les falaises on distinguait quelques promeneurs, parmi eux devait se trouver Natsume Dombori, parcourant la lande en trajectoires brisées, longeant les précipices, cheminant de pointe en pointe, vigie

inlassable et inquiète. L'homme à la pomme s'est éclipsé.
Il est revenu en me tendant une minuscule estampe. «It's
for you», a-t-il dit dans un sourire de gosse. Je l'ai observée
longuement. Sous un ciel aux étoiles rondes, deux enfants
marchaient dans la neige, s'éloignaient d'une maison aux
fenêtres allumées, dominant la colline. Ils avançaient parmi
les pins, emmitouflés dans leurs bonnets, leurs écharpes,
leurs manteaux rouge et blanc, tenant dans leurs mains
des lanternes accrochées à un bâton de bambou. Il émanait
de tout cela une grâce et une poésie modestes et fragiles. Je
n'ai pas pu m'empêcher de penser que ces enfants, c'étaient
nous, Nathan et moi, marchant dans la nuit, portant
nos lumières pour éclairer les ténèbres. Je l'ai remercié et
il a pris ma main dans la sienne. Je ne l'ai pas dégagée.
Nous sommes restés un moment ainsi, les passants nous
regardaient en coin, l'homme souriait et découvrait sa den-
tition jaunie. J'ai tourné la tête vers les falaises, du large
montait une brume laiteuse, elle ne tarderait pas à venir
lécher les côtes. À l'instant même où il a lâché ma main
un corps a basculé, c'était juste un point noir chutant à
une vitesse inouïe, pourtant dans mon œil tout a semblé
très lent et décomposé. La masse a disparu dans l'eau sans
émettre le moindre bruit, tout cela aurait aussi bien pu
être un rêve. Nous nous sommes levés sans rien dire et
nous avons marché vers le bout de la plage, d'autres gens
nous ont imités, bientôt nous avons été une trentaine à

marcher ainsi en silence, somnambuliques. Le corps gisait parmi les galets, désarticulé. Parfois la mer venait lui lécher le visage. J'ai bientôt quarante ans et c'était la première fois que je voyais un mort. Au funérarium je n'avais pas pu. Le cercueil ouvert et Nathan à l'intérieur je n'avais pas pu. C'était au-dessus de mes forces. Trois policiers en uniforme et chaussés de bottes de caoutchouc se sont frayé un passage parmi les curieux. Ils ont dressé un périmètre de sécurité à l'aide d'un gros ruban de scotch blanc et rouge rivé à des piquets. Ils faisaient ça avec des gestes professionnels, habitués et calmes, on aurait dit qu'ils préparaient un chantier. Autour d'eux plus rien n'était sûr, le brouillard allait s'épaississant, tirait son rideau sur les falaises. Natsume Dombori s'est avancé à son tour, le visage grave. Ses anciens collègues l'ont laissé passer, il a secoué la tête en contemplant le cadavre, je me suis demandé s'il s'en voulait ou s'il en voulait au pauvre type d'avoir sauté. Puis il a reculé d'un pas et a laissé s'affairer les flics. Le plus grand d'entre eux s'est approché du mort et l'a fait disparaître sous une couverture grise. Les deux autres ont placé le corps sur une civière, on ne voyait presque plus rien, ils se sont mis à gueuler pour qu'on leur libère le passage, puis se sont dirigés vers la plage, d'un pas lent, trébuchant dans les galets, manquant de renverser le corps à deux reprises. Nous les suivions en file indienne, j'avais beau regarder autour de moi je ne voyais plus l'homme du distributeur, il avait disparu, avalé par la brume. J'ai quitté le convoi, tout se résumait à du coton, seul l'alignement des lampadaires le long de la promenade permettait de se faire une idée d'où l'on était et de vers quoi l'on allait.

Je n'ai pas bougé de la journée. Hier soir je suis rentrée à l'aveugle, par moments j'étais au bord de la panique, je tremblais et j'ignorais si c'était d'avoir vu ce corps abîmé ou d'entendre les singes et les rapaces sans les voir, de les imaginer à tout instant me frôler, m'arracher les cheveux, me griffer au visage. Je n'ai pas dormi de la nuit, à deux heures comme chaque jour Hiromi s'est enfuie de la pension, elle n'est rentrée qu'à six, j'étais plongée dans le bain, la lune était suffisante, je n'ai pas eu besoin d'allumer les lanternes. J'aimais par-dessus tout le contact des pierres chaudes et lisses sous ma paume, mes jambes déformées par l'eau transparente, plus blanches que jamais dans la clarté lunaire. Le nez au ras de l'eau je regardais se tordre l'ombre des bambous. Les camélias luisaient comme les plumes de corbeaux endormis et par endroits, pareils à des punaises dorées, pulsaient des vers luisants. J'ai vu le jour se lever sur les collines, les falaises s'allumer, la mer s'extraire du ciel puis bleuir. Quand je suis sortie de l'eau ma peau était fripée et je ne sentais plus mon corps. Dans le couloir, vêtue de mon peignoir, j'ai croisé Hiromi, elle errait dans son pyjama de petite fille, elle n'arrivait pas à dormir, c'était à cause de l'homme qui s'était jeté des falaises, est-ce que j'étais au courant? Dans ses yeux vibrait une lumière bizarre, une pointe d'excitation, de fascination et de tristesse mêlées. D'une voix tremblante elle m'a appris qu'il s'agissait d'un habitant de la station, un père de famille tout ce qu'il y avait de plus ordinaire et rangé en apparence, les journées au travail et les soirées à boire entre collègues, les week-ends en famille et les vacances à la montagne une fois par an.

— Mais il avait un secret. Comme tout le monde il avait un secret.

Elle m'a quittée sans m'en dire plus, à mes pieds une minuscule flaque d'eau s'était formée et brunissait le parquet. Je suis rentrée dans ma chambre et je n'en suis pas ressortie depuis. Il me semble que je pourrais m'y cacher une vie entière. Rien ni personne ne viendrait plus m'y chercher. Rien n'y personne ne pourrait plus m'y blesser.

Le lendemain de l'appel de ma sœur, j'ai quitté le séminaire aux aurores. Une fois dans le train j'ai envoyé un SMS à Astrid, un problème familial urgent m'obligeait à rentrer en catastrophe, aussitôt le message envoyé j'ai vu son nom apparaître tandis que l'engin vibrait dans mes

mains. Je l'ai laissée parler au répondeur, je n'ai pas écouté,
je me suis rendue au bar et j'ai demandé un whisky. Je
l'ai bu d'une traite. Après, seulement après, j'ai trouvé
le courage d'appeler mes parents. Comme de coutume,
c'est ma mère qui a répondu. Sa voix était posée, elle
parlait juste au ralenti, et moins fort qu'à l'accoutumée.
Tous ses mots étaient mesurés, froids, techniques. Tout
se résumait à des contraintes, des problèmes, des soucis
qu'elle devait affronter et pour quoi il fallait la plaindre.
J'entendais défiler des faits, des dates, des soupirs, des
décisions prises quant à l'enterrement, à la cérémonie reli-
gieuse, aux affaires de Nathan qu'il convenait de récupérer
et de son studio qu'il faudrait vendre. J'ai écouté, noté les
instructions, de temps à autre je percevais la voix de mon
père, il était près d'elle et prenait part à la conversation
comme si de l'autre côté du fil on pouvait l'entendre. J'ai
raccroché sans rien dire ou presque, c'était au-dessus de
mes forces, j'ai appelé Alain mais son portable a sonné dans
le vide, j'ai essayé à son bureau mais la standardiste m'a
annoncé qu'il n'était pas «disponible», ça m'a mise hors
de moi, comment ça il n'était pas disponible, comment
ça il avait mieux à faire que de me prendre au téléphone
et de m'entendre lui dire que mon frère était mort, qu'il
avait eu un accident de voiture, que d'après moi ce n'était
pas un accident, que Nathan nous avait fait le coup du
platane, qu'avait-il de mieux à faire que de m'écouter et de

me remettre sur la bonne voie, d'accueillir mon chagrin, ma colère, ma culpabilité et de faire le tri dans tout ça, de tout remettre en ordre? Je suis retournée à ma place. Le trajet m'a paru durer des heures, j'avais envie de hurler, je ne supportais pas le regard des autres passagers sur moi, à plusieurs reprises je suis allée me planquer aux toilettes et j'ai vomi une bile acide. À la descente du train, Alain m'attendait, il avait eu mes parents un peu plus tôt, avait quitté son bureau, chargé sa secrétaire de répondre qu'il était indisponible et omis de lui préciser que la consigne ne s'appliquait pas à moi et qu'il viendrait m'attendre à la gare. À la seconde où j'ai aperçu son visage parmi les gens qui se pressaient au bout du quai, j'ai compris que je lui en voulais, je ne savais pas de quoi pourtant je lui en voulais, je le tenais en partie responsable de la mort de Nathan, c'était une pensée injustifiable mais elle avait déjà fait son chemin, si bien que son visage décomposé, ses bras qui m'ont enlacée, ses lèvres qui ont couvert mon front de baisers m'ont répugnée. J'étais raide et glacée contre sa poitrine, je suppose qu'il a attribué ça à l'ampleur de la douleur, à l'hébétude du choc. Une fois dans la voiture il m'a demandé pourquoi je ne l'avais pas appelé la veille au soir, dès que j'avais su. Je n'ai pas répondu, je lui ai demandé à mon tour pourquoi il n'avait pas décroché tout à l'heure, j'ai dit ça sur un ton agressif, presque haineux. Il n'a pas cru bon de relever, s'est excusé, il était en voiture, il roulait vers la gare pour m'accueillir, c'était bien lui, ai-je pensé, tellement consciencieux, tellement prudent, tellement parfait, tellement le genre à ne jamais jamais décrocher un téléphone en conduisant, même si c'était sa femme, même si elle venait d'apprendre la mort de son frère. J'ai eu envie de lui foutre des claques, son visage m'insupportait, toute sa personne me foutait en rogne, sa façon de se tenir, de parler, de respirer. Sur le coup j'ai cru que c'était passager, une sorte de déviation de mon esprit, un moyen de projeter ma colère et ma douleur contre quelqu'un d'autre que Nathan, mais ce sentiment ne m'a plus quittée depuis.

Nous sommes arrivés chez mes parents à l'heure du déjeuner. Clara était là, les yeux rouges, reniflant, hoquetant, fondant en larmes toutes les trois minutes. Mon père m'a serrée dans ses bras, puis ce fut le tour de ma mère, nous n'avons pas échangé un mot, ce genre de geste était chez nous si rare qu'il tenait lieu d'effusion, il ne faudrait pas en attendre plus, le maximum de réconfort physique venait d'être atteint. Juste avant de retourner à la cuisine ma mère m'a demandé de bien m'occuper de ma sœur, elle avait du mal à affronter tout ça, elle était si fragile, elle n'encaissait pas. Et moi alors? ai-je pensé. Moi, qui s'occupe de moi? Qui me console? Alain m'a prise dans ses bras, il avait assisté à la scène en silence, il me connaissait mieux que quiconque, lisait dans mes pensées. Je me suis laissé étreindre, je me suis dit, c'est lui, c'est lui qui est censé s'occuper de toi, j'étais à la fois rassurée et déçue, j'ai laissé couler mes larmes contre le coton de sa chemise puis je me suis reprise, me suis mouchée et suis allée rejoindre ma sœur sur le canapé.

Je suis restée chez mes parents jusqu'au lendemain. Il y avait au moins quinze ans que je n'avais pas passé autant de temps chez eux, et je ne saurais dire quand exactement leur maison avait cessé d'être la mienne, quand exactement j'avais eu l'impression d'y venir une fois par mois comme dans un lieu étranger, où je n'avais jamais vécu. Pourtant, à l'étage, nos chambres avaient été laissées dans l'état où nous les avions laissées après nos départs respectifs. Bien sûr tout était rangé, certains livres, certains papiers avaient été jetés et remplacés par les collections de disques ou de journaux de papa, nos posters avaient été décrochés et remplacés par des cadres Ikea mais cela ne suffisait pas à expliquer pourquoi elles me semblaient à ce point éloignées de moi, pourquoi aucune odeur, aucun motif de papier peint, aucune vue sur les pavillons voisins depuis les fenêtres n'évoquait quoi que ce soit en moi. Ce furent des heures noyées et sans défense, des heures hagardes et désossées. Maman s'occupait de tout, concentrée et tendue à l'extrême, parfois elle disparaissait dans sa chambre, elle avait besoin de se reposer une heure, puis elle retournait à sa tâche, multipliait les coups de téléphone, signait des papiers, se rendait aux pompes funèbres, au funérarium. Je suppose qu'elle avait besoin de ça, s'accrocher à ces activités concrètes et successives, j'avais l'impression qu'elle avait fait ça toute sa vie, que toute sa vie elle avait tenu ainsi, arrimée au quotidien, au pratique, ne laissant jamais la place à autre chose. S'occuper de nous, veiller à notre santé, notre bien-être matériel, était sa façon de nous aimer. Quant à mon père il était tel qu'en lui-même, assis dans le grand fauteuil du salon un magazine à la main, ou bien les yeux fermés et les écouteurs branchés à la chaîne. Discret, froid et silencieux. Le visage dur et coupant. De temps en temps il sortait dans le jardin, par la fenêtre du salon je le voyais se pencher pour arracher des mauvaises herbes, d'un coup de sécateur tailler un arbuste. Parfois il quittait la maison pour effectuer quelques courses, ne rapportant qu'une ou deux choses à la fois, comme pour se laisser le loisir de multiplier les allées et venues. Comme pour tuer le temps.

Clara n'est pas restée, elle a pris le dernier RER pour Paris où elle louait un studio minuscule. L'agence qui l'employait depuis peu n'allait pas tarder à confirmer son CDI, elle pourrait s'acheter un deux-pièces, pensait chercher du côté de la rue des Martyrs, c'est ce qu'elle m'a dit tandis que je la déposais à la gare de Juvisy. Je la regardais estomaquée, qu'elle puisse retourner travailler dès le matin suivant me flinguait, quelques minutes plus tôt elle avait fondu en larmes et s'était écroulée dans le canapé, elle se sentait si faible tout à coup, nous avions tous accouru pour lui tendre un verre d'eau, un sucre, un coussin. Papa l'avait même prise dans ses bras.

— Je n'ai pas le choix, tu comprends. Je suis en période d'essai pour deux jours encore. Tu sais comment ils sont...

Je savais mais ça n'expliquait rien, je suis rentrée chez mes parents et j'étais en colère. J'étais tellement en colère. Contre eux, contre Clara, contre Alain, contre le monde entier. Quand je suis arrivée à la maison, mes parent dormaient, je me suis préparé un déca puis je suis montée dans ma chambre, je me suis allongée sur le lit et j'ai fermé les yeux. Je ne sais plus si j'ai dormi cette nuit-là. Je me souviens juste que j'avais froid et que plus rien ne coulait dans mes veines. Vers deux heures du matin j'ai entendu la porte grincer. Mon père est entré dans la chambre et s'est approché de moi. J'ai gardé les paupières closes, je suis restée immobile, même quand il s'est assis sur le lit. C'était si étrange, presque irréel. Il s'est penché et a embrassé mon front. Je n'étais même pas sûre qu'il l'ait déjà fait. Pas depuis mes dix ou onze ans en tout cas. J'ai ouvert les yeux et, dans la pénombre, vêtu d'un pyjama de coton bleu, il avait pris mille ans.

— Je te réveille.

— Non. Pas vraiment. Tu ne dors pas?

Il m'a attrapé la main. Il tremblait légèrement. Nous sommes restés comme ça un long moment. À plusieurs reprises j'ai cru qu'il allait dire quelque chose. J'ai senti qu'il hésitait. Mais aucun son n'est sorti de sa gorge.

L'enterrement a eu lieu deux jours plus tard. Ce fut un moment d'absurdité et de douleur crue hors du commun. À l'horreur de sa disparition, à la douleur de sa perte, à la stupéfaction de savoir son corps là, dans cette boîte, raide et déserté par la vie, et pour toujours, se sont ajoutés les mascarades funéraires, les rituels infantiles et les discours hors de propos. J'avais tenté d'en toucher deux mots à maman : bien sûr Nathan, les fois nombreuses où il abordait la chose, faisant de sa mort un sujet récurrent et presque banal, un objet de conversation presque rassurant tant il est d'usage de considérer qu'en matière de velléités suicidaires « ceux qui le font n'en parlent jamais avant », m'avait confié son souhait d'être incinéré et de voir ses cendres dispersées, refusant toute référence à la religion. Elle m'avait répondu d'un haussement d'épaules « tu connais ton frère, il disait ça pour faire le malin, comme toujours, il aimait provoquer, tu sais bien ». La conversation s'était close après qu'elle eut jugé que, sans église, la chose serait un peu sèche. J'aurais sûrement dû lui répondre qu'on pouvait très bien se réunir pour

dire des poèmes, écouter des chansons, évoquer Nathan
sans que ça se déroule dans une église et en se passant de
tout ce fatras rituel, j'aurais sûrement dû lui faire part
de mes doutes quant au caractère accidentel de la mort de
Nathan mais cela aurait signifié entamer une véritable
discussion et c'était une chose si inhabituelle entre nous
que ça ne m'a pas effleuré l'esprit. Au final, la cérémonie
s'est tenue dans l'église de la ville, un bâtiment laid et
cubique jouxtant la pharmacie, à moitié caché de la rue
par des tilleuls et des panneaux publicitaires. En scrutant
l'assistance, je me suis rendu compte qu'on n'y trouvait
que la famille. Où étaient ses amis? Les avait-on prévenus?
En avait-il seulement? Toutes ces années, en pleine nuit,
au plus mal, saoul et rongé par une de ces crises d'angoisse qu'il disait le clouer au sol et que je ne pouvais
m'empêcher de tenir pour imaginaires, choisissait-il de
m'appeler moi ou n'avait-il aucune alternative? J'ai serré
les dents quand le prêtre a cru bon d'évoquer Nathan, son
caractère, sa trajectoire, j'ai failli vomir quand ma sœur
a lu un texte de sa composition, empilant des souvenirs
et des images consignées au creux des albums de photos, et
émettant les éternels jugements et qualificatifs conformes
à la mythologie familiale, tissu de conneries, de rapiéçages
et de mensonges éhontés destinés à sauver des apparences
dont pourtant tout le monde se foutait bien. Elle n'a pas
pu finir sa lecture, l'émotion l'a submergée, elle a quitté le

micro pour se réfugier dans mes bras, je l'aurais étranglée, la petite princesse à son papa.

La mise en terre proprement dite a eu lieu sous un soleil froid, diffusant une lumière laide et jaune sur l'alignement des marbres et des pierres tombales. Romain et Anaïs se tenaient l'un contre l'autre. Alain les couvait du regard. De temps en temps je me tournais vers eux, ils me lançaient de pauvres sourires ravagés, depuis le matin ils ne m'avaient pas adressé le moindre mot, je comprenais ça, ils étaient désemparés, personne ne leur avait appris à se soucier de leur mère, personne ne les avait habitués à la voir aussi fragile et friable, et puis ils adoraient leur oncle, composaient avec leur propre chagrin. Je n'ai pas jeté ma poignée de terre sur le bois du cercueil. Je n'ai pas pris ma place dans la file, je me suis laissé dépasser et me suis éloignée. À quelques mètres de nous, une jeune femme se tenait blême et tremblante, le teint malade et les cheveux blonds secs comme de la paille. Mon regard a croisé le sien et elle s'est enfuie. Ses yeux et le tremblement de son corps sont restés gravés en moi, par la suite, j'ai souvent rêvé d'elle. Alain et les enfants m'ont rejointe et nous sommes rentrés à la maison. La moquette écrue, le cuir clair des canapés, la table en verre, le lin des rideaux, l'écheveau de gris de marron pâle et de pastel qui liait les pièces entre elles m'a donné la nausée, j'avais froid et je frissonnais, j'ai pris un whisky pour me réchauffer, les enfants ont allumé la télévision, je leur ai lancé un coup d'œil sévère, « ils ont besoin de se changer les idées », a tranché Alain. Je me suis réfugiée dans la chambre, là aussi tout était trop clair et trop nu, j'ai fermé les volets, tiré les rideaux, fouillé dans le placard pour y déloger une grande couverture rouge, celle que Nathan prenait toujours quand il dormait dans le canapé, dont il se couvrait pour déambuler dans la maison et qu'il laissait traîner n'importe où, sur une chaise dans la cuisine, dans la salle de bains, et même une fois roulée en boule près de la cuvette des toilettes, provoquant l'agacement d'Alain qui ne supportait pas le moindre désordre, le moindre objet brisant l'harmonie dans laquelle il souhaitait vivre et dont il pensait qu'elle nous était profitable. Je me suis allongée, emmitouflée dans la laine râpeuse et cramoisie et, enfin, je me suis vidée des larmes accumulées depuis trois jours. Après je me souviens de jours hébétés et troubles, Alain est retourné à son travail et les enfants à l'école, je restais toute la journée dans la maison, ne quittais pas la chambre, le cerveau vide, fourré de coton. Alain a cru bon de convoquer un médecin qui, à coups de pilules, a achevé de le bourrer d'ouate. J'errais dans la maison en plein jour comme durant mes nuits, Nathan était une ombre partout présente, un poids sur mes épaules qui me maintenait rivée à la moquette, appuyait parfois si fort que je cédais et me collais au sol. Les enfants rentraient vers six heures, peu avant leur père. Pour eux la vie avait repris son cours normal, ils trouvaient juste étrange de me voir là et montaient se réfugier dans leurs chambres. Alain arrivait vers sept heures, venait m'embrasser avant de prendre sa douche rituelle et de réapparaître changé, vêtu d'un jean trop large et d'un polo Lacoste. Il s'asseyait près de moi et me demandait comment j'allais, posant sa main sur la mienne, prévenant, parfait comme toujours. Puis il allait se servir un verre de vin et m'en tendait un autre. Je le buvais à petites gorgées, j'avais l'impression que chaque goutte me ramenait au monde, me tirait vers le réel. Alors je me levais, allumais la radio dans la cuisine et préparais le repas, que nous prenions tous ensemble (Alain l'exigeait, au grand dam des enfants). Je sentais bien comme la mécanique du quotidien avait le pouvoir de me remettre à flot. Alain aussi, qui m'enjoignait de retourner au travail, de me laisser entraîner dans le flux qui m'aiderait, disait-il, à recouvrer mes esprits et à reprendre le cours de ma vie, d'une vie à la fois ancienne et inédite, la vie sans Nathan. Un matin j'ai fini par l'écouter et m'arracher à la maison, je voyais moi aussi qu'elle était sur le point de m'engloutir. Je suis montée dans ma voiture et j'ai roulé jusqu'au bureau. Tout le monde a semblé ravi de me voir, malgré la gêne, la distance embarrassée, quinze jours de congé pour un décès familial c'était un peu beaucoup non, personne ne s'y serait attendu, surtout venant de moi qu'on jugeait si sérieuse, consciencieuse, appliquée. Si j'ai appris quelque chose du monde de l'entreprise, et du travail en général, c'est qu'on y tolère mal les faibles, que toute faille doit y être camouflée, toute fragilité niée, toute fatigue combattue et oubliée, qu'une part non négligeable de nous-mêmes doit être laissée au vestiaire, comme un costume qu'on ne renfilerait qu'une fois le soir venu. Nathan n'avait jamais supporté ça. Il le disait. Et à chacune de ses tentatives, cette incapacité se vérifiait. Il m'exaspérait. J'y voyais tellement de complaisance, d'adolescence mal dégrossie. Au fond, je le jugeais comme le faisait mon père, comme Alain, comme tout le monde. Je ne valais pas mieux qu'eux.

Astrid n'a pas été la plus tendre. Elle est entrée dans mon bureau et m'a désigné la pile de dossiers en souffrance.

— J'imagine que tu n'as pas pu faire autrement mais c'est mal tombé. Ça a jasé là-haut. J'ai pris ta défense, bien sûr, mais tes oreilles ont dû siffler, ma belle.

J'ai allumé l'ordinateur et me suis laissé prendre par l'urgence des tâches à accomplir, des problèmes à régler. Pendant quelques jours j'ai pensé qu'Alain avait raison, que le travail était le meilleur remède, je m'en suis voulu d'avoir flanché. J'évitais juste la machine à café, mangeais un sandwich dans mon bureau sous prétexte que j'avais du travail en retard. Parfois, tout de même, happée par la fenêtre, je me levais et m'absorbaient les lignes entrelacées des réseaux ferrés, routiers, autoroutiers, les empilements d'immeubles fuyant vers les lointains, sous le ciel sale et bas. Sans même que je pense à Nathan, quelque chose cédait alors en moi et je sentais les larmes poindre. Je respirais un grand coup, m'arrachais au paysage et regagnais l'écran de mon ordinateur, décrochais le téléphone et composais le premier numéro lisible sur les Post-it jaunes que j'avais l'habitude de coller sur le contreplaqué noir du bureau. Sitôt la tonalité émise je retournais dans le flux et me laissais pousser jusqu'au soir. Ça a duré deux ou trois semaines. Jusqu'à ce que Devaux me convoque dans son bureau.

Devaux m'a fait entrer et à son sourire forcé, à son ton mielleux, j'ai tout de suite compris ce qui m'attendait. C'était un type à l'abord avenant, chaleureux, avec qui j'avais déjà eu l'occasion de discuter. Il m'avait fait l'effet d'un homme ouvert et humain, bien loin des idées caricaturales que l'on se fait usuellement d'un DRH. Il m'a proposé un café que j'ai accepté, il avait sa propre machine dans un coin de son bureau, y a glissé une capsule dorée.

– Du sucre ?

J'ai hoché la tête et il s'est assis en face de moi. Nous avons bu une gorgée chacun puis il a commencé à m'exposer la situation du groupe. Comme il est d'usage, les notions de compétitivité, de concurrence, de productivité et de marge ont été évoquées. Peu à peu le champ de sa démonstration s'est resserré, jusqu'à circonscrire les contours du secteur managé par Astrid, dont les résultats n'étaient plus satisfaisants. Astrid avait bien sûr toute sa confiance, elle subissait un rétrécissement conjoncturel du marché et payait l'accroissement de la concurrence depuis que les Espagnols étaient entrés dans le jeu ; bref il allait devoir procéder à une réorganisation du secteur en fusionnant deux des sous-secteurs, dont le mien.

— Vous vous en doutez, dans ces conditions, nous allons devoir nous séparer d'un des deux responsables. J'ai beaucoup de sympathie pour vous, Sarah. Vous le savez. Mais il m'a fallu prendre une décision. Une décision difficile.

Je l'ai écouté débiter ses arguments, justifier ses choix. Il avait consulté ma supérieure immédiate, mes subordonnés, les responsables des différents secteurs concernés. Bien sûr ce n'étaient pas mes compétences qu'on remettait en cause, tout le monde les reconnaissait, mais plutôt, disons, mon état d'esprit, mon désengagement ces derniers mois : de l'avis général je ne m'étais jamais réellement intégrée au groupe, n'avais jamais vraiment adhéré aux valeurs de l'entreprise… J'allais recevoir dans quelques jours une convocation pour l'entretien préalable. Vu les circonstances, je n'étais pas tenue d'honorer de ma présence la période du préavis.

— Avez-vous des questions ?

Je n'en avais pas, ou alors je doutais que Devaux soit en capacité d'y répondre. Je me suis levée en silence, je n'ai pas attrapé la main qu'il me tendait et je suis sortie. Je me suis dirigée vers le bureau d'Astrid. Elle n'y était pas. J'ai regagné le mien, fouillé dans le tiroir pour y trouver un cutter, pris ma veste et mes clés et suis ressortie aussitôt. Dans l'ascenseur j'étais tout à fait calme, je crois que je me sentais délivrée, j'avais l'impression que Devaux venait de me libérer après des années entières de captivité. Je me suis dirigée vers ma voiture. Celle d'Astrid était garée trois places plus loin. Il s'agissait d'une décapotable bleu turquoise flambant neuve. J'ai planté mon cutter dans les pneus, fait crisser la lame sur l'intégralité du flanc droit. Puis j'ai regagné mon véhicule, suis sortie du parking souterrain pour retrouver la lumière. Dehors tout m'a paru neuf et lavé.

Je ne suis pas rentrée à la maison tout de suite, on était jeudi, Romain finissait à quinze heures trente il y serait sûrement, j'ai roulé jusqu'à Paris, je me suis garée près du Pont-Neuf et j'ai marché sur les quais. L'air était doux, la lumière vive ciselait la moindre feuille de marronnier, soulignait la moindre branche et j'avais soif. J'ai longé la Seine sur plusieurs centaines de mètres puis j'ai dévié au hasard, j'ai pris des rues rognées par le soleil, les boutiques et les échoppes étaient pleines, des grappes de passants me croisaient, aux terrasses des cafés les étudiants bavardaient, la ville grouillait, qui étaient tous ces gens, n'avaient-ils pas de bureau, d'horaires, d'agenda professionnel, de réunions, de rendez-vous? Je me suis retrouvée à quelques rues de l'appartement de Nathan, un studio minuscule au sixième étage d'un immeuble lépreux, il l'avait acheté du temps où il avait encore un emploi stable, il bossait au Franprix du coin, je lui avais prêté de quoi constituer un maigre apport, puis il s'était fait virer et n'avait plus enchaîné que les « plans », des jobs qu'il quittait au bout d'un mois, des remplacements, des missions d'intérim. Régulièrement il m'appelait et me demandait de le dépanner, la banque le faisait « chier » pour l'emprunt, il avait obtenu le report de plusieurs échéances mais là, il allait devoir leur « lâcher un peu de fric ». Je lui faisais parvenir un chèque. Jamais il ne m'a remboursé un centime, ce qui achevait aux yeux d'Alain de le discréditer, le plaçait ad vitam aeternam au rayon des branleurs immatures et irresponsables. Entre Nathan et moi, c'était devenu un sujet de plaisanterie, « tu me rembourseras avec tes droits d'auteur », lui disais-je, et il acquiesçait avec une telle lumière dans les yeux que je me taisais, mais il m'arrivait de me demander s'il n'y croyait pas sérieusement, au fond, à cette hypothèse. Certains jours je finissais par y croire moi aussi, au volant de ma voiture dans les bouchons, roulant vers la maison j'imaginais la scène, Nathan publiant le fameux roman sur lequel il travaillait depuis quinze ans, se révélant un écrivain immensément doué, Alain le bec cloué et moi avec, les parents admiratifs improvisant des « je l'avais

103

toujours su». Je me suis installée au café d'en face, j'ai commandé un demi, allumé une cigarette et j'ai attendu. Quoi? je feignais de l'ignorer. Je l'attendais elle, la jeune femme blonde de l'enterrement, j'attendais de la voir apparaître aux abords de l'appartement mais elle n'est pas venue. Plusieurs fois j'ai sursauté, à un moment j'ai cru l'apercevoir au croisement, j'ai laissé deux pièces et me suis lancée à sa poursuite mais ce n'était pas elle. J'ai pris le métro et retrouvé la voiture. Quand j'ai poussé la porte de la maison il était vingt heures, les enfants regardaient la télé et se sont à peine retournés pour me saluer. Alain est venu à ma rencontre, l'air inquiet. J'ai prétexté une réunion importante qui s'était éternisée, j'ai décroché le téléphone pour commander des sushis, suis allée prendre une douche et nous sommes passés à table.

Quelques jours plus tard, j'ai accompagné maman à l'appartement. Il s'agissait de préparer sa mise en vente, de faire du tri. Dans l'escalier j'avais le cœur battant, j'attendais quelque chose, un indice, des réponses. Nous avons poussé la porte et j'ai compris que quelqu'un était passé avant nous. Tout était impeccable et rangé. Je n'avais pas mis les pieds là depuis presque un an mais ça ne lui ressemblait pas, d'aussi loin qu'il m'en souvienne j'avais connu cet endroit dans un état de désordre indescriptible, des canettes de bière entassées n'importe où, les cendriers pleins à ras bord, les livres et les revues jetés pêle-mêle, le bureau couvert de papiers, les murs de photos. Je me suis avancée dans la pièce. Maman était ravie, « enfin une bonne surprise », a-t-elle lâché. J'ai ouvert quelques tiroirs, fouillé ici ou là. Beaucoup de ses affaires étaient à leur place, le studio n'avait pas été vidé, mais des objets, des livres, des clichés auxquels je savais que Nathan tenait par-dessus tout avaient disparu. Et tout était beaucoup trop propre pour être vrai. Dans la penderie, au milieu de ses jeans et de ses tee-shirts froissés, deux robes avaient été oubliées.

Le jour s'ouvre doucement et je descends vers la mer. Les branches ploient sous le poids des singes, les corbeaux se mêlent aux rapaces, planent au-dessus des forêts denses, des montagnes à perte de vue où la brume s'accroche en écharpe. Le long du chemin les lanternes sont éteintes, couvertes de mousse, de lichen. Partout les maisons semblent abandonnées, aucune lampe ne les éclaire, entre mes doigts des fleurs tardives se détachent sans peine, leurs pétales s'égrainent et jonchent les graviers. Plus bas s'étire la façade blanche d'un modeste temple bouddhiste, j'y suis entrée deux ou trois fois depuis mon arrivée, pas de jardin pas d'étang pas de cascade, pas d'étendue de cailloux ratissés ni de pierres figurant une île, un rivage, une terre. À l'intérieur il n'y a rien, des panneaux blancs cloisonnent l'étendue des tatamis. De jeunes hommes au crâne rasé y font face à un prêtre, reçoivent un enseignement dont je ne saisis rien, il émane de leur personne un calme rayonnant dont je ne parviens à savoir s'il est joué ou s'il provient d'une quelconque paix intérieure, d'un quelconque apaisement, constant, durable, minéral. Parfois je me dis que je suis devenue la cliente idéale pour une secte, quiconque me promettrait le repos, la paix intérieure me verrait rappliquer et lui baiser les mains de gratitude. Je poursuis jusqu'aux sables gris, la mer absorbe toute la lumière, se déploie lisse et brillante, sereine et sans blessure. J'aimerais tant me fondre en elle, la laisser couler en moi, j'aimerais tant en être capable, sentir en moi le sang ralentir et battre sans accroc. Je pense aux forêts, aux rivières, au temple, à ses jardins imperturbables, à son vieux pin, au camphrier frissonnant à la moindre brise, je pense à la lumière dans les branches, à la transparence de l'eau ruisselant sur mes poignets, à la douceur de la mousse au pied des arbres, couvrant leurs racines brunes, au balancement des fougères. Je pense à tout cela, je respire le plus lentement possible, tout est là, disponible, lent, lumineux, offert et sans contrainte, à portée de main, mais rien ne s'apaise jamais vraiment. Quelque chose en moi résiste encore. Un bouillonnement. Des nerfs. Oh je voudrais tant être à la hauteur, je voudrais tant me laisser transpercer. Et respirer enfin.

Je longe la mer, arpente d'un pas lent la promenade déserte. Près du distributeur de boissons, la porte est fermée. Je frappe mais rien ne se passe. J'aurais tant voulu qu'il prenne de nouveau ma main. Juste ça. La chaleur de sa main fermée sur la mienne. Je me demande pourquoi il a fui hier, pourquoi il a disparu et m'a laissée seule, face au cadavre caressé par les vagues. Je frappe de nouveau mais rien ne bouge. Peut-être a-t-il quitté la ville, peut-être était-ce le mort de trop, peut-être s'agissait-il d'un de ses amis, d'un parent lointain, d'un copain d'enfance. Je poursuis mon chemin et tout est mort et vide, les cafés, les boutiques, la poste et la banque, le bureau de police à l'entrée des galeries marchandes où s'engouffre un vent tiède. Aucune voiture ne circule, aucun son ne s'échappe des maisons, seuls résonnent les cris des corbeaux. Au détour des ruelles je ne croise personne, un chat égaré vient se frotter à mon mollet et ronronne avant de s'éloigner. Au milieu du canal, parmi les herbes hautes, un héron prend la pose, élégant, immobile. La porte de Natsume Dombori est ouverte, j'aperçois son dos voûté sous la chemise à carreaux qu'il porte sur la plupart des photos que j'ai pu trouver de lui. Attablé devant l'adolescent à la coiffure de manga il boit du café, y trempe un biscuit. Un vieux poste à cassettes crachote une musique hors d'âge, des standards américains, Sinatra Dean Martin Nat King Cole. Dans le fond de la pièce, une femme apparaît, à pas lents semble glisser sur les tatamis, à la lueur des lampes sa peau est d'une blancheur irréelle sous les longs cheveux noirs. Je croise son regard vide et elle disparaît aussitôt. Natsume Dombori se retourne et je disparais à mon tour, dans les ruelles m'enfonce au milieu des maisons anciennes et chaudes, marche droit vers l'ouest et débouche sur une campagne douce et brumeuse. Encerclée de montagnes vertes aux reflets roux et prune, la vallée déploie ses carrés de rizière, ses cabanes de bois, ses arbres à kakis éparpillés, aux branches nues desquels s'accrochent des fruits orange comme autant de boules de Noël. Dans les champs des paysans s'affairent, ils se redressent et me saluent au passage, étonnés de me voir. Je leur réponds d'un signe de tête, marche en lisière des cultures, me perds dans le dédale à ciel ouvert. Au loin les collines ferment l'espace, le mont Koya domine l'horizon, sur ses flancs se succèdent les arbres jaune et rouge, puis ce sont de sombres conifères, de là-haut on doit plonger dans le ciel, surplomber des kilomètres de massifs arborés et de vallées creusées de torrents, on dit le mont sacré et peuplé de renards, on dit son esprit paisible et protecteur, on dit qu'en le gravissant jamais le cœur ne s'emballe, on dit qu'une paix immense vous emplit l'âme et les poumons, comme si l'azur coulait dans vos veines.

Sur le front de mer ils marchent d'un pas cérémonieux, la bouche cousue par le silence et la prière. Ils sont cinq cents ou plus, toute la ville est rassemblée là, vêtue de sombre et en cortège, munie de hautes torches, menée par deux prêtres en tunique éclatante, épaisses chaussures comme des sabots démesurés, coiffe noire sur le crâne. Parmi la foule je reconnais Natsume Dombori, l'homme du distributeur, Hiromi et sa mère, tout le monde se dirige vers le sanctuaire de la plage, je me joins à eux et je marche en silence, à quelques mètres de moi la veuve agrippe les mains de ses enfants, à moins que ce ne soit le contraire, on ne sait plus qui s'accroche à qui. Hiromi se laisse glisser jusqu'à moi, elle me sourit et je lui dis combien la voir me rassure, la ville était si déserte ce matin, j'avais l'impression d'être un fantôme.

– Vous faites ça à chaque fois ? Je veux dire, toute la ville s'arrête comme ça à chaque fois ?

– Non. Seulement quand il s'agit de quelqu'un d'ici. Tout le monde le connaissait, tu sais. Et ça faisait deux ans que personne d'ici n'avait sauté des falaises.

Nous nous laissons dépasser, décrochons du cortège. Dombori me frôle et son visage est grave, comme tendu par la colère, méconnaissable. La bonté lumineuse du regard, la voix égale et mesurée, c'est ce qui m'avait frappée dans ce reportage assez médiocre que lui avait consacré une télévision française. Voilà l'homme qui a sauvé Nathan, m'étais-je dit en découvrant son visage, et ce visage et cet homme m'avaient plu. La modestie de son discours, sa manière de minimiser ses actes, de faire passer sa mission pour banale, anodine. La moindre des choses. Le journaliste essayait tant bien que mal d'en savoir plus sur lui mais avec une élégance pudique il déclinait, revenait à son sujet, ces gens fissurés que la vie fauchait, ces gens comme vous et moi que la société poussait à bout. Toujours il en revenait là, la violence morale qui s'exerçait à l'école, au travail, dans le couple. L'usure et les humiliations, la pression sociale, le culte du rendement, du gagnant, du vainqueur, le cynisme et l'exclusion, comment tout cela pouvait vous briser les os.

— Tu veux savoir son secret ?

Hiromi s'est assise près de moi, à l'entrée du sanctuaire, tout près de la fontaine. Au fond du réservoir de pierre brillent des reflets pourpres et violines, l'eau s'écoule de la gueule d'un petit dragon, elle seule trouble la litanie du prêtre. Plus loin dans l'urne noire brûlent des bâtonnets de cèdre et d'érable, des rubans de fumée circulent aspirés par la mer.

— C'est un secret très simple, je te préviens. D'ailleurs maintenant ce n'est plus un secret. Tout le monde est au courant : ça faisait trois mois qu'il avait perdu son travail.

— C'est tout ?

— Non. Mais déjà, rien que pour ça, tu sais, il y a eu des gens qui sont venus ici et qui ont sauté. Il a perdu son travail parce qu'il n'était pas assez performant. C'est ce qu'on lui a dit, tu comprends. Qu'il avait failli à sa tâche. Qu'il avait été mauvais. Qu'il ne donnait pas assez, qu'il ne s'adaptait pas assez vite aux changements, tous ces trucs.

Mais il n'a rien dit à personne. Pendant trois mois chaque matin il est parti de chez lui comme si de rien n'était, et il n'est rentré qu'au soir dans son costume gris avec son cartable en cuir.

— Qu'est-ce qu'il faisait de ses journées ?

— Rien. Il se promenait dans la campagne, dans la ville d'à côté, le long du fleuve.

— Et comment tu l'as su ?

— Je l'ai vu. Plein de fois. J'ai fini par aller lui parler et il m'a tout dit. Il m'a fait jurer de garder le secret et c'est ce que j'ai fait.

Elle s'allume une Mildseven et sa mère se précipite vers elle, visiblement contrariée. D'un geste sec elle lui retire la cigarette des lèvres et l'écrase. Puis elle fait signe à Hiromi de la suivre. Je les regarde rejoindre la foule, d'où je suis je ne vois pas les gestes qu'exécutent les prêtres, les rituels auxquels ils se livrent. Aux quatre coins du sanctuaire, des panneaux rappellent qu'il est interdit de fumer. Quand je me lève, je m'aperçois que je tremble, que mes jambes flageolent. La tête me tourne mais je m'éloigne quand même, le soleil tombe à la verticale et la mer est une plaque d'aluminium. On s'y brûlerait les yeux.

Durant plusieurs semaines après mon licenciement, j'ai fait comme si de rien n'était, moi aussi. Alain me réveillait et je filais à la douche, m'habillais, avalais mon petit déjeuner, embrassais les enfants et montais dans ma voiture. Je roulais jusqu'au fleuve, me garais sur les berges et m'endormais, récupérais un peu du sommeil perdu durant la nuit. L'eau filait, ridée et boueuse, le long d'immeubles blancs et criblés de balcons, au loin la ville s'effaçait et la Seine sinuait parmi les champs, des maisons cossues la surplombaient au terme de jardins en pente. Je rêvais à d'autres vies, oisives et baignées d'une lumière dorée, je rêvais de maisons de pierre, de pluie roulant sur les tuiles, de roses et de pivoines, de tonnelles, de glycines, de feuilles mortes, de groseilles, de mûres et de pommes à l'automne. Je rêvais de prairies étincelantes de givre, de cheminées, de thé à la vanille dans la lumière du soir, de fleurs séchées, d'herbes chatouillant mes pieds, d'un chien blond, d'enfants souriants se couvrant les doigts de confiture, je rêvais d'une vie impossible et douce, une vie de vacances à la campagne, une vie de livre ou de peinture. Puis je regagnais la maison vide et silencieuse, consultais les emplois du temps des enfants, restais jusqu'à ce que l'un d'entre eux soit sur le point de rentrer, comblais le jour de gestes inutiles, coussin que l'on replace, poussière qu'on essuie à peine tombée. Une ou deux fois les enfants sont rentrés plus tôt que prévu et m'ont trouvée là. J'ai improvisé des excuses : j'étais repassée chercher un document, j'avais la migraine, un rendez-vous avait été annulé et j'en avais profité. Puis les vacances sont arrivées et j'ai fini par ne plus rentrer, je me voyais mourir au centre de mon lit, dans la chambre trop pâle, toute la journée j'y pensais. J'avais tout le temps froid. Je prenais des bains brûlants, j'avais des visions de noyade, je dérivais, si je fermais les yeux je sentais mon cœur ralentir et ma peau partir en lambeaux. C'était une lente glissade que n'interrompait que le réveil, indiquant le retour prochain d'Anaïs. Alors je me levais et quittais la maison, j'avais la sensation de sortir sans protection sous une pluie de lames. Je roulais jusqu'au centre commercial, arpentais les allées, longeais les vitrines, m'arrêtais aux terrasses installées près des fontaines ou des massifs de plantes artificielles. J'attendais le soir en contemplant le flot des consommateurs dans les odeurs de viennoiserie industrielle. Je ne rentrais pas avant sept heures, remplissais mes jours d'une succession de haltes absurdes. Le square, la place du maigre centre-ville, un café le long de la nationale, la jardinerie-animalerie où j'aimais contempler les animaux et me perdre parmi les arbustes, un sentier le long du fleuve, puis la forêt voisine. Je marchais dans la terre glissante et molle, les feuilles éparpillées par le vent, les grands arbres me protégeaient, du plat de la main je touchais des troncs lisses ou ridés, certains perdaient leur peau en longs squames, les premières fougères frémissaient. Le monde se résumait à une lente vibration végétale et couronnée de ciel, le sol grouillait d'une vie invisible, Nathan était dans mes pas, longtemps il avait été mon homme des bois, la forêt était son domaine, les arbres ses frères.

L'après-midi je me rendais à la piscine ou à la patinoire. Je restais dans les gradins, observais les gamins, les adolescents, leur vitalité, leur allant me sidéraient, je ne m'expliquais pas que cet âge puisse être à la fois si difficile et si flamboyant, si juste et si incertain, si ridicule et si rayonnant. J'avais l'impression qu'ils me contaminaient, me rechargeaient, j'avais la sensation étrange de me tenir au plus près de mes propres enfants. Il m'arrivait aussi de rouler jusqu'à Paris, de me poster des heures durant à la terrasse du café d'où je surveillais les abords de l'appartement de Nathan. Sitôt en vente il avait trouvé acquéreur. Maman avait récupéré les vêtements, ma sœur quelques meubles pour son futur appartement, pour l'heure ils s'entassaient dans le garage, ce qui obligeait mon père à laisser sa voiture dehors, ce dont il avait horreur, je n'ai jamais compris pourquoi, il s'agissait d'une voiture banale et déjà ancienne, et je ne voyais pas en quoi les éventuelles rayures causées par les gamins du quartier justifiaient de telles précautions. Les heures passaient et je ne faisais rien de particulier, j'attendais c'est tout, quand j'y pense c'était absurde, même si elle avait pu être sa petite amie, même si elle avait pu mettre les pieds dans son studio, y vivre un moment, rien n'indiquait qu'elle n'ait pas changé de périmètre, de ville, rien n'indiquait qu'elle ait pu être proche de Nathan au point de revenir rôder autour de son ancien chez-lui. En définitive, elle n'est jamais apparue aux abords du studio. C'est finalement ma sœur qui a croisé mon chemin. Alors que j'avalais un café le regard perdu dans le vague, je l'ai vue marcher les yeux rivés aux toits de zinc rendus éblouissants par un ciel de verre. Devant la porte de l'immeuble elle s'est arrêtée un moment, puis elle a scruté les alentours, la petite échoppe du fleuriste, la boucherie antique, les marchands de journaux puis le café.

— Qu'est-ce que tu fais là ? T'es pas au boulot ?

Je n'ai pas eu la force de lui mentir, ni même de lui rendre sa question. Elle s'est assise près de moi, a commandé un Perrier citron, elle se rendait à un rendez-vous, un entretien avec un chasseur de têtes, elle songeait déjà à changer d'employeur, on lui proposait un gros poste dans une agence de communication institutionnelle sise à quelques rues de là, elle avait un peu d'avance, le temps de boire un verre et de bavarder avec moi. Je lui ai raconté brièvement mon licenciement, mes jours passés à errer dans les rues, les bois, les parcs et les boutiques. Elle enregistrait les informations, effarée, la bouche entrouverte.

— Mais qu'est-ce qui t'arrive Sarah ? Qu'est-ce qui ne va pas ?

Je lui ai lancé un regard noir, j'ai eu envie de l'étrangler. Qu'est-ce qui n'allait pas ? Notre frère était mort et elle me demandait ce qui n'allait pas. Elle s'est excusée. Elle aussi se sentait fragile depuis quelque temps. Je l'ai regardée en secouant la tête. Elle savait si peu de choses de lui. De moi. Elle n'avait pas dix ans quand nous avions quitté la maison. Après, ça n'avait plus été que déjeuners dominicaux hebdomadaires puis mensuels, une soirée ici ou là, quelques rendez-vous pris sur ma pause de midi de temps à autre et c'était tout. J'ai vu des larmes brouiller ses yeux.

— Mais putain, qu'est-ce qui clochait, chez lui ?

Elle avait dit ça à mi-voix, comme on se parle à soi-même. J'ai allumé une cigarette.

— Je sais pas, ai-je fini par répondre. Il souffrait. C'est tout.

— Mais merde. De quoi ? La vie est dure pour tout le monde. Je veux dire, il a tout eu dans les mains et puis… je sais pas, qu'est-ce qu'il a fait de sa vie, à part se plaindre, ricaner, tout critiquer et se bourrer la gueule…

J'ai eu l'impression d'entendre mon père : tout le monde en bavait dans cette vie, tout le monde avait ses problèmes, lui pas moins qu'un autre, alors il ne servait à rien de geindre et de se répandre.

Clara a vidé son verre et s'est allumé une cigarette à son tour, son pied battait comme la patte arrière d'un lapin. Les ongles de ses doigts réduits au minimum, elle s'attaquait à présent à la peau elle-même.

— Le problème, c'est pas forcément les trucs qui vous

arrivent, ai-je poursuivi. C'est ta capacité à les encaisser. Y a des gens plus fragiles que d'autres, Clara. C'est tout.

— Oh, arrête. Me fais pas le coup de l'écorché vif.

— Je ne te fais aucun coup. Il était comme ça.

Elle ne me regardait plus. Elle était en colère. Contre lui. Mais plus sûrement contre elle. J'avais le sentiment qu'elle s'apercevait seulement maintenant de l'existence de son frère, qu'elle ne se souciait que maintenant de savoir qui il était réellement.

— Il y a quelque chose que personne ne m'a jamais dit? Je veux dire : un de ces putain de secrets de famille qu'on se trimballe durant des générations et qui rend tout le monde à moitié dingue?

J'ai secoué la tête, je n'avais rien à lui apprendre, aucun traumatisme majeur, aucune explication valable. Rien, sinon un banal manque de tendresse, de gestes, d'amour. Le foutu glacier que ça pouvait vous forer dans le ventre et dans le cœur.

— T'es vraiment une salope. Avec tout ce que papa et maman ont fait pour lui. Pour nous.

Ça ne servait à rien de discuter. Nous avions eu beau vivre sous le même toit, nous n'avions pas vécu la même enfance. La différence d'âge y était pour beaucoup mais elle n'expliquait pas tout, souvent entre frères et sœurs les versions, les ressentis, divergent, c'est parfois spectaculaire au point d'en devenir incompréhensible.

— Tu peux pas comprendre, ai-je lâché. C'était pas pareil pour toi.

— C'est quoi ces conneries?

— La vérité. Rien d'autre. Tu étais la petite princesse à son papa. Avec nous, c'était autre chose.

— Tu racontes n'importe quoi. Et puis il y avait maman.

Clara s'était levée, elle avait repris son sac et se mangeait les lèvres. Elle semblait sur le point de partir ou de se jeter sur moi.

— Ouais. Maman… Notre pauvre petite maman si vaillante. Notre pauvre petite maman silencieuse et digne…

— T'es immonde.

— Tu t'es jamais demandé pourquoi personne tournait rond dans cette famille? Ni Nathan, ni moi, ni toi.

— Attends. Moi, je vais très bien.

J'ai ri en haussant les épaules. J'ai ri d'un rire blessant. Ma sœur a quitté le café tremblante de colère. J'étais allée trop loin. Je n'étais même pas certaine de penser ce que je venais de dire. Je suis restée un long moment assise là sans bouger, j'avais besoin de me calmer, j'ai commandé un whisky, le garçon m'a lancé un regard réprobateur, je me suis demandé ce qu'il pouvait en avoir à foutre, je me suis demandé s'il m'aurait lancé le même regard si j'avais été un homme.

Après ça, les choses n'ont fait qu'empirer. À Paris, au centre commercial, à la patinoire, à la piscine, dans les rues pavillonnaires et les résidences en tout point identiques à la mienne où j'errais au hasard, sur les parkings où je garais la voiture, radio allumée et pare-brise comme une flaque à force de pluie, le temps glissait et je glissais avec lui. Le soir je rentrais et j'avais de plus en plus de mal à reprendre le fil, à répondre aux questions d'Alain sur ma journée, il me regardait d'un air étrange, attendait en vain que je vienne me coucher et le rejoigne dans le lit, avait de plus en plus de mal à m'extirper du sommeil le matin. Les enfants avaient l'air de ne se rendre compte de rien, j'essayais parfois de retourner vers eux, de leur parler, mais ils fuyaient, m'échappaient, c'était trop tard, me disais-je, ils étaient déjà trop loin. Je ne reconnaissais plus rien, ni les lieux où je vivais, ni ceux qui partageaient ma vie. Le jour je les suivais, j'ignore ce que je cherchais ainsi, à me les réapproprier peut-être. Je regardais Anaïs marcher au milieu de ses amies, toutes vêtues pareil coiffées idem peau impeccable sourires magnifiques, elles allaient au square ou à la lisière de la forêt, s'asseyaient sur un banc, une barrière, se passaient les écouteurs de leur iPod. Elles n'arrêtaient pas de se tenir par la main, la hanche, de s'embrasser avant d'éclater de rire. Parfois un groupe de garçons les rejoignait, des couples se formaient, Anaïs se laissait caresser les fesses et les seins par-dessus le jean et le tee-shirt par un grand type qui devait avoir dix-huit ans, je n'étais pas choquée, je me sentais juste larguée, je roulais vers le club de tennis et Romain rayonnait. Autour de lui ses camarades, longue mèche blonde qu'ils écartaient sans cesse, vêtements choisis, affichaient cette assurance particulière que donne l'argent, on les voyait déjà fréquentant les établissements chic les lieux branchés comme s'ils y avaient grandi, on les voyait déjà plus tard évoluant sur les greens comme s'ils y étaient nés, au club-house ou au yacht-club en été, vêtus de pantalons clairs et de polos repassés, on les voyait déjà endosser à la perfection leurs rôles de cadres supérieurs propriétaires de pavillons cossus, de résidences secondaires dans des stations huppées, vivant à deux pas du monde réel mais retranchés tout de même, à deux pas du monde « normal » qui était leur objet, leur proie, avec lequel ils jouaient et où nous avions grandi Nathan et moi, en plein dans celui où Alain était né, où il avait toujours rêvé de m'emmener et où je ne l'avais suivi qu'à moitié, traînant des pieds pour tout : les soirées, les dîners, les vacances, j'avais cédé sur la maison et l'école des enfants et j'avais le résultat sous les yeux, je sentais déjà poindre en Romain un de ces types, il suffisait de le regarder pour constater le mécanisme à l'œuvre.

Alain ne sortait de son bureau qu'aux alentours de dix-huit heures trente, en général flanqué d'une collègue en tailleur ajusté, la première fois que je l'avais vue je l'avais trouvée grotesque, échappée d'une publicité figurant le monde des cadres dynamiques, puis j'avais réalisé que quelques semaines plus tôt encore je lui ressemblais trait pour trait. Ils marchaient jusqu'à leurs voitures respectives et se saluaient d'un sourire complice. La plupart du temps Alain rentrait directement. Sauf un jeudi soir sur deux. Un jeudi soir sur deux il se garait à proximité d'un hôtel. Y pénétrait en regardant partout autour de lui et n'en ressortait qu'une heure plus tard. J'ai pris l'habitude de m'y rendre moi aussi et de m'installer au bar. De mon large fauteuil j'avais vue sur l'entrée. Toutes les heures un homme se pointait et se dirigeait droit vers l'ascenseur. Tous montaient au quatrième étage et ne revenaient qu'une heure plus tard, quittaient l'hôtel d'un pas pressé, le cheveu humide. De temps en temps l'ascenseur redescendait du quatrième et s'ouvrait sur une jeune femme blonde et maquillée, différente selon les jours, elles devaient avoir une vingtaine d'années, laissaient deviner sous le manteau long le peu de vêtements qui couvrait leur corps blanc et maigre, sortaient fumer une cigarette à proximité des portes d'entrée, parfois faisaient halte au bar et demandaient un café ou un verre de blanc avec un fort accent de l'Est. Le serveur les draguait un brin mais elles n'avaient pas le cœur à ça. Je n'en voulais pas à Alain. Mon si gentil, mon si parfait mari. Non je ne lui en voulais pas de coucher avec d'autres filles. Nous ne baisions plus depuis tant d'années. Et puis, au fond, avions-nous jamais vraiment baisé? Me souvenais-je de l'avoir vraiment désiré, je veux dire, avec tout l'embrasement, l'impatience, l'envie dévorante, la torsion du ventre que ça suppose? Avais-je un jour aimé, vraiment, sa queue à lui et à lui seul, avais-je voulu, aimé, adoré sa peau, ses bras, ses jambes, son visage? Non. Je ne crois pas. Il me faisait bien l'amour, j'essayais de le lui rendre, je jouissais parfois, j'aimais surtout sentir un poids s'écraser sur moi et me clouer puis me remplir, mais il m'arrivait de me dire que ça n'avait pas grand-chose à voir avec lui, avec nous. Ça aurait pu être n'importe qui. La mécanique fonctionnait bien. Nous n'avions ni l'un ni l'autre à nous en vanter. C'était toujours ça de pris. Voilà tout. Non je ne lui en voulais pas de ça. Je me demandais juste s'il avait la moindre idée de la vie que menaient ces filles. J'imagine que oui. J'imagine qu'il s'en foutait. J'imagine qu'il s'inventait qu'au final tout le monde y trouvait son compte. Pendant quelques jours, je me suis aussi demandé ce qui le poussait à payer pour ça. Après tout il était plutôt beau, sans doute cerné de femmes séduisantes qui s'ennuyaient ferme à la maison et n'auraient rien eu contre une liaison «de confort», légère et sans conséquence. L'endroit où j'avais travaillé durant des années regorgeait de ce genre d'histoires, c'était même le sujet principal des conversations et le moteur secret des alliances, contre-alliances et stratégies personnelles qui chaque jour se tramaient de bureau en bureau.

J'ai vite cessé de me livrer à ce jeu, vite repris mes itinéraires anonymes et sans logique, j'étais de plus en plus fatiguée, je respirais mal, j'étouffais, sauf en de brefs instants d'épiphanie minuscule : un rideau de lumière entre les arbres couvrant les feuilles de cristal ou de verre, les reflets argent soudain à la surface du fleuve, la pluie sur le toit, sa rumeur fenêtre ouverte allongée sur mon lit et les odeurs qui montaient du jardin, de terre et de fleurs mouillées. Les yeux clos je m'assoiffais de bords de mer et d'algues, de lumière sur l'écorce orange des chênes-lièges, de terre ocre et de fougères, de bruyères et d'ajoncs, la ville m'étouffait, le béton m'asphyxiait, je voulais du vent des marées, des fleurs de saison, l'attraction lunaire et les équinoxes. Ma valise était faite, cachée au fond du placard, chaque matin j'étais prête à rouler vers l'ouest ou vers le sud, mais c'était si dur de s'arracher, de s'élever un peu.

Alain a fini par comprendre. Je ne sais pas ce qui lui a mis la puce à l'oreille, un matin avant de partir à son bureau il s'est assis au bord du lit et m'a dit « ce n'est plus la peine tu sais. Je sais ce que tu fais de tes journées. C'est fini la comédie. Je ne juge pas. Je ne te poserai pas de questions. Je te demande juste une chose : va voir un médecin. Si tu vas voir un médecin je serai là. Les enfants aussi. Mais il faut que tu y mettes du tien. Va voir un médecin. Je ne vais pas t'y traîner de force. C'est à toi de le faire. Mais je t'en supplie, tant qu'il est encore temps ». Je me suis rendue à l'hôpital, le médecin était un type très doux qui parlait à mots feutrés, on aurait dit qu'il s'adressait à un animal craintif et peureux. Il m'a écoutée longuement, a conclu que j'avais besoin de repos, de soins, qu'il allait me faire préparer une chambre. Je me suis laissé faire. La fenêtre donnait sur un cèdre bleu, de l'après-midi je n'ai vu personne, sinon une infirmière qui est venue déposer une collection de six cachets sur la commode blanche à roulettes. Autour de l'herbe, des hommes et des femmes marchaient en fumant, ils n'étaient plus que l'ombre d'eux-mêmes, des enveloppes vides, certains parlaient tout seuls, d'autres poussaient des cris, d'autres enfin avaient l'air normaux mais comme hébétés, anesthésiés, j'ai attrapé mon sac et je suis sortie, personne ne m'a rien demandé. Je suis rentrée à la maison et Alain m'a interrogée du regard. Je lui ai montré l'ordonnance, j'ai inventé des rendez-vous hebdomadaires avec le psy. Le repas était prêt, les enfants à table. Je me suis excusée. J'ai dit « je suis fatiguée ». Alain tenait à sauver les apparences, d'une voix fausse il a renchéri en prétextant à ma place une de ces réunions interminables et tendues qui toujours me laissaient exsangue. J'ai senti que j'allais mourir, que ça allait finir ainsi, les jours qui ont suivi mon cerveau ne bruissait plus qu'autour de cette idée : comment allais-je m'y prendre ? Et quand ? C'est à ce moment précis qu'elle m'a appelée. Elle se prénommait Louise et voulait me voir. Nous nous sommes donné rendez-vous près de chez elle, dans le quartier de Belleville à Paris.

Je suis arrivée plus d'une heure en avance, j'ai flâné dans les jardins. On dominait la ville et tout semblait très bleu, aquatique. Il y avait du vent, les nuages se déchiquetaient dans le ciel, c'était mercredi, des tas d'enfants couraient dans les allées, dévalaient des toboggans dans la lumière changeante. Je suis sortie du parc j'ai pris des rues en pente, elles paraissaient plonger vers la mer. Elle m'attendait attablée devant un Perrier menthe. Finalement elle n'était pas si jeune que je l'avais cru à l'enterrement. Peut-être quatre ou cinq ans de moins que moi. Mais il y a, paradoxalement, chez certaines femmes moins attentives à leur apparence que dans le milieu où j'avais évolué toutes ces années, une façon de s'habiller, de ne se maquiller qu'à peine, de n'avoir jamais recours aux UV aux pommades vendues à prix d'or à la chirurgie, de boire de l'alcool, de fumer comme bon leur semble, de manger ce qu'il leur plaît de manger et de ne jamais faire de sport, de sortir le soir, de lire des livres, de penser, d'aimer la musique, le cinéma, la danse ou le théâtre, qui les garde éternellement jeunes et irradiant d'une beauté autre, parfois usée, mais sans artifice. Comme si au fond l'intelligence, la vie « pleine » l'emportaient toujours sur le souci de l'apparence, la connerie des blondasses filiformes, férues d'astrologie, de conseils beauté, de développement personnel, de fitness, de hype, de mode, de journaux people, de cures de détox et de régimes de l'été auprès desquelles j'avais passé dix heures quotidiennes ces dernières années. Long-temps j'avais fait l'effort de me convaincre que toutes ces pétasses égocentriques obsédées par le fric, le pouvoir, la célébrité et la peur d'être vieilles, grosses ou dépassées n'étaient pas que cela, que c'était juste un vernis, qu'elles aimaient, souffraient, sombraient dans des abîmes comme tout un chacun, mais non, j'avais tort, avec le recul je me rends bien compte à quel point j'avais tort, je m'étais four-voyée, adoptant ce que Nathan avait coutume d'appeler une stratégie d'autodéfense, tous ces trucs qu'on s'invente pour justifier ses non-choix, ses renoncements obligés et les rendre supportables.

Je l'ai écoutée parler. Je l'ai dévorée des yeux. J'ai tout de suite compris ce qui avait pu l'unir à Nathan, pourquoi elle avait pu lui plaire au point de lui faire un enfant. Je fixais son ventre et tout était si clair. Elle attendait un enfant. Un enfant de lui. Je n'avais pas besoin qu'elle me le dise. Nous avons parlé longuement. De Nathan. De sa tris-tesse, de ses hauts, de ses bas. Elle le connaissait depuis long-temps, ils avaient eu une liaison des années auparavant, elle l'aimait plus que tout mais il était impossible, ils s'étaient perdus de vue un moment, elle l'avait retrouvé à son retour du Japon. Il était si exalté, confiant, concentré sur son roman. Bien sûr il buvait trop, bien sûr il avait parfois des accès de désespoir effrayant, mais il était dans une bonne phase, le pire était derrière lui il en était certain. Ils avaient fini par s'installer ensemble. C'était chaotique, passionnel, assez violent, mais c'était fort et ça lui allait, elle n'avait aucun goût pour la tiédeur, la mesure, elle voulait les gouffres et le vertige, les engueulades à trois heures du mat et les réveils lovés dans les bras l'un de l'autre. Il travaillait d'arrache-pied, parlait tout le temps du Japon, disait qu'il avait trouvé là-bas son vrai chez-lui, sa terre promise.

— Il parlait aussi beaucoup de vous. Tout le temps, en fait. Il disait que vous étiez son double, sa jumelle, que vous aviez suivi des voies différentes mais qu'au fond vous étiez les mêmes. Il vous admirait, vous savez. Il vous admirait tant. Il souffrait de votre silence. Il le comprenait mais il souffrait.

J'ai commandé un deuxième verre de blanc. Je ne disais rien. Je me contentais de l'écouter, je buvais ses paroles, tout ce temps j'ai eu l'impression que Nathan était là, entre nous, vivant, usant, insupportable et attachant, puéril, acéré, beau et usé. Les derniers temps les choses s'étaient assombries. Elle lui avait annoncé qu'elle était enceinte, sur le coup il avait semblé heureux mais dans les jours qui avaient suivi elle avait bien vu qu'il paniquait, qu'il suait de trouille, doutait d'être à la hauteur. Il était soudainement devenu fuyant, agressif. Il ne dormait plus de la nuit et noircissait des feuilles. Un matin il l'avait réveillée triomphant, comme allumé de l'intérieur. Cette fois il avait fini. Il allait montrer son travail à des éditeurs, et puis il avait une grande nouvelle à lui annoncer. Le petit allait naître au Japon. Ils partiraient à l'automne, le temps de régler les choses pour le livre et de s'organiser, ils s'installeraient là-bas, pour de vrai, enfin s'installer c'était beaucoup dire, ils verraient bien, s'en remettraient à la chance et à sa bonne étoile… De nouveau il rayonnait, de nouveau il vibrait d'une force éclatante et solaire. Durant quelque temps leur vie avait été parfaite. «Parfaite», a-t-elle répété à plusieurs reprises, comme si elle n'en revenait toujours pas, comme si cela pouvait retenir ces jours enfuis, les faire réapparaître. Jusqu'à cette nuit-là. Sa nervosité extrême, les quantités de vodka qu'il s'envoie, son regard mauvais, son rictus douloureux. Leur engueulade stupide, des mots qu'il aurait fallu ne pas prononcer, des mots qu'on lâche comme ça mais qui sont des couteaux, des lames de rasoir. Son départ dans la nuit, la voiture qui s'éloigne dans un grognement de moteur poussé à bout. Je l'ai regardée se pencher et sortir de son sac une grosse enveloppe.

– Voilà. C'était le jour de sa mort. Je voulais vous donner tout ça. Ça n'a plus de sens pour moi maintenant.

J'ai ouvert. Le manuscrit de Nathan était gros d'au moins cinq cents pages. Deux enveloppes en sont tombées. La première contenait les billets pour Tokyo. Le départ était prévu une semaine plus tard. La seconde était une lettre d'éditeur. Une lettre dure qui ne laissait rien espérer, niait à Nathan toute espèce de talent et toute raison d'y croire.

Parfois je me demande pourquoi Louise m'a donné ces billets, si elle me poussait ainsi à partir, si c'était Nathan qui m'envoyait là. Les jours précédant mon départ j'ai lu son texte. Plusieurs fois. Je n'ai su qu'en penser. Je ne crois pas que je puisse juger ça. Mais j'ai tout entendu ; sa voix, je l'ai entendue oui, ça je peux le dire. Elle s'est élevée dès les premières lignes, j'entendais Nathan me parler à l'oreille, peu importe ce qu'il disait c'était beau de l'entendre ainsi, si clairement, si nettement. À l'aéroport, juste avant de m'envoler pour ici, j'en ai posté cinq copies à cinq éditeurs, je ne peux pas m'empêcher de penser que la première lettre ne veut rien dire, qu'il ne s'agit que d'un avis parmi d'autres, on a tellement entendu d'histoires de ce genre, le roman refusé par vingt maisons et finalement édité par la vingt et unième, et avec succès. Je ne sais pas pourquoi je fais ça. Pour moi peut-être. Pour elle. Pour l'enfant à venir. Pour qu'il reste une trace. Pour qu'il puisse entendre sa voix et être fier de son père.

J'ai pris le même avion. Celui qu'ils devaient prendre. Nathan et Louise. Leur vie entière. Et leur enfant caché dans son ventre. Jusqu'au dernier moment j'ai espéré les voir apparaître. C'était absurde bien sûr mais jusqu'au bout j'ai espéré.

II

Le ciel était si sombre, il me semblait qu'on l'avait éteint. Les oiseaux gueulaient parmi les roches nues et brisées. L'eau bouillonnait en contrebas, dans le fracas des galets entrechoqués, brassés par les vagues. Je me tenais tout au bord. Un pas de plus et c'était le vide. Un pas de plus et puis rien, j'étais le vide. Je voulais savoir. Sentir. Comprendre. Ce que Nathan avait ressenti ce jour-là. Ce qu'il avait vu. Je voulais ses yeux. Savoir ce qui sépare. La terre ferme du vide. Saisir l'instant précis. Le courage qu'il faut. La peur. La douleur.

Je me tenais tout au bord. Le vent me transperçait, me traversait sans rencontrer la moindre résistance, plus de peau ni d'os, plus de carcasse, je ne sentais plus mon corps ni mon cerveau ni le moindre de mes membres, je ne sentais plus rien, j'étais fondue dans le ciel, j'étais transparente et nue. Je ne savais plus où j'étais. J'étais Nathan. Il n'y avait plus rien et plus rien ne vivait, j'étais éteinte comme le ciel, je n'étais plus certaine de vouloir vivre à mon tour. Je n'étais plus certaine de vouloir revenir. Soudain il y a

eu un poids sur mon épaule qui m'a lestée, m'a retenue.
Une voix dans mon oreille. Celle que j'attendais depuis
des siècles.

— Do not do that.

Je me suis retournée et Natsume Dombori me regardait
en souriant, sa casquette enfoncée sur la tête. Nathan
se tenait derrière lui comme une ombre flottante, un
hologramme.

— Come with me. Let's talk a minute.

C'est son regard. La sensation de sa main sur mon épaule.
Sa voix. Juste ça. J'ai reculé d'un pas. Il m'a fait signe de
le suivre. Et je l'ai suivi jusqu'ici.

Je loge au premier étage, dans une chambre mansardée.
Celle de sa fille, m'a-t-il dit. Je ne peux pas m'empêcher
de me demander si c'était aussi celle qu'occupait Nathan.
Depuis mon arrivée je renifle partout sa présence, je guette
son ombre, le cherche dans chaque pièce. Mais il n'est
plus là, bien sûr. Rien ne subsiste. Les gens ne laissent rien
derrière eux. Nous sommes quatre à vivre sous ce toit.
Haruki, l'adolescent à la coiffure de manga. Natsume. Et
Midori. Son visage très blanc. Ses longs cheveux noirs.
Quand elle est arrivée ici elle ne parlait qu'à peine, s'effrayait
du moindre mouvement, quittait la pièce dès que quelqu'un
y entrait. Elle va un peu mieux maintenant, accepte la présence des autres. D'après Natsume c'est un cap, un progrès

immense. Je peux m'approcher d'elle à pas lents, lui parler, lui tendre un bol de nouilles. J'exécute ces gestes avec d'infinies précautions, comme si elle était malade, comme si elle était sur le point de tomber en poussière. Comme si je tentais d'apprivoiser un oiseau blessé.

Natsume veille sur nous et nous protège. Contre nous-mêmes. C'est ce qu'il dit. Je suis là pour vous protéger contre vous-mêmes. Le temps que ça passe. C'est tout. Je suis là pour m'occuper de vous. C'est tout. Rien de plus. Il n'a aucun message à délivrer, ne croit en rien de particulier. Simplement, une chose lui apparaît chaque jour plus claire : la vie est dure et certaines personnes, à certains moments de leur parcours, ont besoin qu'on s'occupe d'elles. Et nul n'a le temps pour ça. Lui si. Alors c'est ce qu'il fait ici. Rien de plus.

Natsume parle un anglais parfait. Meilleur que le mien, en tout cas. Quand je lui ai demandé où il avait appris, il m'a répondu «ici. Dans cette maison. C'est une jeune femme. Son amant était mort. Elle pensait vouloir mourir aussi. Elle est restée trois mois. Tous les jours, elle me donnait deux heures de leçon».

Il dit aussi «j'ai passé des années à arriver trop tard. Juste assez tôt pour ramasser les corps, les identifier, prévenir les familles. J'essaie de ne plus arriver trop tard. C'est tout». Il m'a montré le placard où il garde les lettres. Elles viennent d'eux. Ceux qui sont passés par chez lui. La première fois, ils lui écrivent pour lui dire merci. Puis ils lui donnent des nouvelles. Ils vont bien. Pour la plupart ils vont bien. Certains n'écrivent plus depuis longtemps. Il ne peut pas savoir. Il veut croire qu'ils vont bien. Il n'en sait rien mais il pense : le plus dur est derrière eux.

Chaque soir, nous dînons autour d'une grande table basse. Natsume remplit nos assiettes et mange avec nous. Sitôt son dessert englouti il sort. Il ne revient jamais à la même heure. Son emploi du temps répond à des règles obscures. Un curieux mélange d'observations, de connaissance empirique du terrain et de statistiques amassées, traitées, compilées sur plus de vingt ans. Parfois il regarde le ciel et quitte la maison subitement. D'autres fois c'est après avoir lu le journal. Il passe beaucoup de temps à chercher des indices, mais je le soupçonne de se laisser surtout porter par son intuition ou de confier sa charge au hasard.

— Je ne peux pas être partout à la fois, dit-il en riant, signifiant ainsi qu'il doit être présent pour nous ici et pour « eux » là-bas.

— Pourquoi ne pas vous contenter du « là-bas » ?

— Parce que ça ne marche pas. La première personne avec qui j'ai discuté, je l'ai laissée repartir. Elle s'est tuée deux heures plus tard.

— Comment vous pouvez savoir que quelqu'un est prêt à repartir d'ici, alors?

— Les gens le savent. Vous le saurez. Personne n'a envie de mourir. Tout le monde veut vivre. Seulement, à certaines périodes de votre vie, ça devient juste impossible.

Quand Natsume sort, un grand silence s'installe. Haruki se poste dans un coin, allume la liseuse, attrape un carnet, des crayons, et commence à griffonner. Je n'ai pas encore réussi à voir ce qu'il dessine. Il cache les pages avec son bras, comme un gamin refusant qu'on lorgne sa copie. Nous échangeons peu de mots. Le minimum. Son mauvais anglais n'est pas le seul en cause. Natsume n'arrive pas à tirer grand-chose de lui non plus. C'est un garçon sauvage, mutique, un peu autiste sans doute, au sens le plus dévoyé et imprécis du terme. Je sais juste qu'il vient de la banlieue de Tokyo et qu'il a seize ans. Il a quitté la maison de ses grands-parents, avec qui il vit, pour atterrir ici par hasard, au gré des bus, du stop, de la marche, avec pour seul bagage un sac de lycéen contenant un carnet, une trousse, des cigarettes et un bouquin. C'est tout ce qu'il a consenti à dire. Rien sur l'autre soir en haut des falaises. Rien sur les motifs de sa fugue.

— Tu as des parents? Des frères, des sœurs?

Il ne répond pas, replonge le nez dans ses carnets et se remet à dessiner.

— Je peux voir?

– Non.

Il se lève et sort de la pièce, se réfugie dans sa chambre et me laisse seule avec Midori, dans la lumière tamisée, le désordre rassurant du salon, les odeurs de riz blanc et de légumes, d'épices douces et de soja. Elle garde les yeux baissés, contemple ses mains aux doigts entrecroisés, posées sur le tissu noir de sa jupe longue. Midori a trente ans et elle a perdu une enfant. La petite n'avait pas deux ans. Midori la promenait, comme chaque jour : d'abord le square où elle retrouvait d'autres mères de son âge, comme elles elle avait arrêté de travailler à la naissance, comme elles elle consacrait tout son temps à son enfant et s'ennuyait parfois, cherchait la moindre occasion pour sortir, prendre l'air et parler de tout et de rien, remplir le vide avec des mots, des arbres, des toboggans, des cris d'enfants chutant dans la poussière, faisant craquer les feuilles mortes sous leurs pieds minuscules. Puis c'était la pâtisserie au salon de thé du coin, toujours la même, un cheese-cake accompagné d'un café au lait, la gamine en prenait quelques cuillerées, se laissait charmer par la serveuse et le patron qui lui faisait des grimaces. Après quoi elle se dirigeait vers la maison, la petite à moitié endormie dans sa poussette, retardait le moment de rentrer sous prétexte de quelques courses, de la bière pour son homme, des biscuits de riz soufflé, quelques tranches de bœuf, des champignons. Enfin c'est ainsi que j'imagine les choses.

Je brode autour des informations rares que Natsume est parvenu à réunir. Le conducteur de la voiture avait quatre-vingt-deux ans. Il n'a pas freiné à temps.

J'ai sorti le jeu de cartes. Midori adore y jouer. Elle abat les rois, les dames et les valets jusqu'à l'épuisement. Dans ses yeux, rien ne passe. Elle se concentre sur ses cartes et les abat, mécanique, vidée, l'œil droit plus petit que le gauche, les cheveux coupés en mèches irrégulières. En la regardant je me demande où est son mari, puis je réalise qu'on pourrait se poser la même question à mon sujet : où est mon mari, que font mes enfants, que fais-je ici ? Je n'ai pas perdu d'enfant, moi. Non. J'ai juste perdu mon frère et l'enfant que j'étais auprès de lui. Je me suis perdue et, sans lui désormais, il me semble que je ne me retrouverai jamais, que je suis condamnée à errer loin de moi jusqu'à la fin des jours.

Nous étions deux gamins planqués dans leur chambre et la nuit tombante, les myriades de lumières sous le ciel orange et mauve, les parents au salon devant la télévision qui trouvent toujours qu'on fait trop de bruit alors qu'on ne se parle qu'à voix basse, lampes de poche allumées braquées sur la même bande dessinée, la même peur au ventre en permanence, la trouille fichée sous la peau, sans cause, hors de propos. La trouille des autres, de l'école, de mourir comme ça sans raison, de vivre idem, la peur de parler, de répondre, d'être pris en défaut, de décevoir, de se faire remarquer, de passer inaperçus. La peur que papa gueule, que maman s'inquiète. La peur de ne jamais ressembler aux autres, la peur de leur ressembler un jour. Nous avons longtemps vécu au quatrième étage d'un immeuble qui en comprenait neuf. Puis notre sœur est née et les parents ont investi dans un pavillon minuscule au fond d'une impasse. Mais peu nous importait, notre domaine était ailleurs, entre les pages des livres que nous lisions, les écouteurs qui ne quittaient que rarement nos oreilles, sous la voûte des grands arbres de la forêt voisine. Quand je repense à cette période, je me dis que nous passions notre vie à fuir, à nous cacher, à chercher un abri. De quoi avions-nous peur ? Je pense aussi à mes propres enfants, à leur capacité innée à se fondre, en toute confiance, dans le flot commun, à y trouver leur place, à s'y imposer, à ne pas s'y perdre. Comme si pour eux la vie, le monde qui les entoure allaient de soi. Comme s'ils n'en saisissaient pas la part précaire, construite, absurde. Je sais que je devrais les admirer pour ça. Leur allant, leur solidité, leur arrogance même. Longtemps cela m'a comblée, ravie. C'était le temps de la petite enfance, leur énergie pure canalisée par la sagesse, le sérieux quand il le fallait, un équilibre merveilleux, miraculeux même. Aujourd'hui cela me déroute, et je les sens si loin de moi, insubmersibles, sûrs de leur force. Je devrais m'en réjouir mais je n'y parviens pas. J'ai l'impression de n'avoir rien laissé de moi en eux. De les avoir perdus en chemin.

Nathan était brun et sec, une liane à la peau fine, laissant deviner le moindre os et la longueur des muscles. En vélo, couverts de poussière, la sueur aux tempes et la boue aux mollets, nous parcourions les sous-bois, nous planquions dans notre clairière, aucun chemin n'y accédait, il fallait fendre les ronces et les arbustes. Les autres, on prenait soin de surtout les éviter, de toute façon ils étaient à la piscine, près des terrains de foot, au tennis au conservatoire, ou réunis dans les salles de jeux de leurs pavillons immenses, agglutinés devant l'écran d'ordinateurs balbutiants. Si par hasard nous les croisions ils nous toisaient, nous trouvaient invariablement bizarres ou « trop graves ». Nous ne parlions pas le même langage. Quand nous tentions de répondre à leurs questions, nos réponses tombaient toujours à côté ou ne parvenaient pas jusqu'à leurs oreilles. Nous ne connaissions aucun des programmes télévisés qui avaient leurs préférences, ne pratiquions aucun de leurs sports, ne portions aucune de leurs marques favorites, n'écoutions aucun chanteur à la mode. Nous vivions à un autre étage du monde, paniqués par une indéfinissable menace. Je ne sais ce que nous fabriquions au cœur sombre des forêts. Longtemps ce fut s'allonger dans la mousse et les fougères, s'enfouir sous les feuilles mortes, traquer les larves les insectes les têtards les papillons, guetter les écureuils, construire des cabanes, grimper au plus haut des arbres anciens. Puis ce furent la musique et les livres, adossés aux troncs massifs des châtaigniers, levant parfois les yeux vers le ciel blanc et saturé de lumière. Les mots que nous échangions sans jamais nous lasser. Les feux de bois, l'alcool et l'herbe.

Toutes ces années, ce qui ne changeait pas ou presque, c'étaient les retours à la maison, le soir, peu avant l'heure du dîner. Papa irritable et fatigué par sa journée de travail, maman nous pressant de ne pas le déranger, les repas sous l'éclairage froid du plafonnier, où rien ne s'échangeait sinon des considérations triviales, comme si tout ce qui relevait de la complexité, de l'obscurité, de l'équivoque de nos vies devait être chassé sous le tapis, placé hors de notre vue, les idées les livres l'art la politique l'amour la sexualité les sentiments la maladie la mélancolie la tristesse l'abattement la folie l'espoir la vie son sens et son cœur même. Après c'était le son du téléviseur au salon tandis que nous faisions nos devoirs dans la chambre, Patrick Sabatier Patrick Sébastien Jean-Pierre Foucault Michel Drucker, pour les faire taire nous repassions nos disques en boucle, lisions tête-bêche sur le lit, Nathan grattouillait sa guitare et chantait d'une voix sourde puis nous fumions à la fenêtre, contemplant les rues désertes, les pavillons aux jardins étriqués, la silhouette des immeubles

au loin, le bitume à la lueur malade des lampadaires muni-
cipaux, le clignotement des derniers avions décollant
d'Orly.

Midori s'est endormie sur sa chaise, la tête penchée
sur l'épaule, elle a sombré tandis que je battais les cartes.
Paisible et blanche elle ne ronfle pas, respire en sourdine,
c'est à peine si l'on voit se soulever sa poitrine. Je la prends
dans mes bras, elle pèse moins que l'air. Dans son lit
je la borde comme une enfant fiévreuse. Sa chambre
est presque nue, quelques vêtements s'empilent sur une
chaise de paille, près du matelas trois livres de poèmes, Issa
Bashô Sôseki et rien d'autre. Je reste près d'elle, contemple
son visage abandonné, enfin au repos. Plus les jours passent
et plus je la sens prendre confiance, plus les mots que
nous échangeons sont nombreux, bien qu'on les compte
encore sur les doigts d'une main. Je la laisse à son sommeil,
à ses rêves blancs, je referme la porte sur la chambre
qu'éclaire faiblement une lampe à l'abat-jour écru. Dans
la pièce d'à côté, allongé sur son lit, des écouteurs fichés
dans les oreilles, Haruki noircit son carnet de croquis. Sa
fenêtre donne sur la rue et laisse entrer une lumière mauve,
halo d'un néon clignotant à quelques mètres de là. Je lui
fais signe en passant, il ne me répond pas, j'ignore s'il m'a
vue. Son regard se perd dans le cadre et fuit le long des

toits et des câbles électriques, il est figé, le corps immobile, la main suspendue, le crayon à quelques millimètres du papier.

Sur la plage brûlent des lanternes de papier rouge, poissons joufflus, têtes grimaçantes et parées de sourcils immenses, renards et dragons, montés sur des pieux de bois et tremblants à la flamme des bougies, procession irréelle, cohorte en feu filant vers les falaises, chemin de carnaval illuminant les sables. Au distributeur de boissons, juchés sur leurs scooters, s'alimentent cinq ou six noctambules désœuvrés. À mon tour je glisse une pièce, en tire un gobelet de café fumant. L'eau a des reflets rouges, se brise en grandes flammes tremblées. Au large, l'horizon n'est pas encore le ciel, s'attarde en halo blanchâtre. Je me colle à la porte close. En tendant l'oreille on devine, s'extrayant à peine du bruit de la mer, le son d'un téléviseur. À travers les rideaux tirés filtre une faible lumière. Je toque et son visage apparaît, un sourire franc barre ses lèvres sèches. Il est vêtu d'un samue bleu nuit dont le coton flotte autour du torse et des jambes. Il prend ma main dans la sienne, sa peau a une texture de papier, cette tiédeur mate. J'ignore pourquoi je suis si heureuse de le voir ; pourquoi le contact de sa main, son visage usé et familier, son corps maigre sa peau sombre, sa présence me rassurent, me réchauffent à ce point. J'entre et dans la pièce en désordre flottent des odeurs de bois, d'encre et de thé vert. Sur la table basse, au milieu des cartons Saporo Kirin ou Asahi, s'éparpillent en nuée des dizaines de petits formats, certains en cours, crayonnés à la va-vite, d'autres achevés. La plupart figurent une femme aux longs cheveux noirs dont une photo surexposée, un peu jaunie, épinglée au mur, constitue le modèle. Il me fait signe de m'asseoir

— Who is she?

— Woman I loved.

— What happened?

— Nothing. She leaves. And I stay here. Alone.

Il me dit ça dans un sourire désolé, fataliste et doux, m'invite à m'asseoir, me sert une tasse de thé, pousse vers moi un bol rempli de biscuits, rapproche le radiateur électrique. Il s'installe et me sourit encore, silencieux et attentif, détaillant mon visage comme s'il voulait le garder en mémoire.

— And you?

— Me?

— A lover?

— A husband. For a long long time, dis-je en haussant les épaules.

— Is he kind with you?

146

Je réponds d'un hochement de tête. Que puis-je répondre d'autre ? Oui en dépit de tout Alain a toujours été gentil avec moi. C'est même pour ça que je l'ai épousé je crois. Parce qu'il était gentil, pondéré, rassurant, raisonnable et fiable, et parce que j'aimais qu'il soit tout ça. Parce qu'il me tenait à la surface, me maintenait au-dessus des flots. Parce qu'à force d'avoir les pieds si fermement ancrés à terre, il m'empêchait de glisser. Parce que je pouvais compter sur lui dans tous les domaines de la vie, parce qu'il m'écoutait, me trouvait belle, s'occupait des enfants quand j'étais fatiguée, ne rechignait jamais à rien, pas même aux corvées domestiques, préparait le repas lançait les lessives, même les sorties d'école et toutes ces mères de famille si parfaites avec leur pantacourt et leur monospace, leur sens pratique, leur enthousiasme à se porter volontaires pour la moindre vente de gâteaux le moindre accompagnement à la piscine, ne semblaient pas le rebuter. Il était sociable et toujours d'humeur égale, efficace et surtout il m'aimait. Au fond dès le début les choses avaient été claires. Je l'ai épousé parce qu'il m'aimait et qu'auprès de lui je me sentais en sécurité. Auprès de lui j'avais moins peur.

Il se tait et me fixe avec tant de douceur, le silence entre nous n'a rien d'une gêne, ne génère aucune angoisse. Je crois que je suis bien, là, face à lui, prise dans son regard. Il se lève et me fait signe d'attendre, disparaît derrière la cloison. Je l'entends fouiller, maugréer, se parler à voix haute. En face de moi, le téléviseur diffuse une émission de variétés. Une jeune femme vêtue comme une poupée, tout en dentelles roses et blanches susurre une mélodie sucrée. J'approche mes mains du radiateur. Il finit par revenir et la chaleur aussi. L'air emprunté il me tend un tableau.

– Gift. For you, dit-il.

– Again ?

C'est un pont sur une rivière, un format rectangulaire où l'on reconnaît le pont sur la lune à Kyoto, dans le quartier d'Arashiyama. Dans l'appartement de Nathan, sur le mur de sa chambre, Louise en avait laissé une représentation presque identique, je l'avais décrochée puis rangée dans mon sac, à la maison elle avait pris place dans la bibliothèque trop nue, il m'arrivait de la contempler des minutes entières. L'angle est différent mais les couleurs sont les mêmes, les herbes noires au premier plan et le bois chocolat sur l'eau bleu roi, la colline mauve sous le ciel blanc tournant à l'orange vif, et le cortège des paysans transportant leurs récoltes d'une rive à l'autre. Je fouille ma poche et, pour la seconde fois depuis que je suis ici, en sors la photo de mon frère. Un sourire immense illumine son visage, une joie profonde l'irradie. Il prononce son nom : « Nathan. Nathan my old friend. » On croirait qu'il le voit, qu'il se tient devant lui, on croirait qu'il va pleurer.

– Your lover?

– My brother.

– My very very good friend. Funny guy. Smoke and laugh and drink a lot of saké with me. How is he?

Je ne réponds rien, je me fraie un passage entre ses bras, je n'ai pas besoin de prononcer le moindre mot il comprend ce qu'il a à faire, il me serre et son menton se pose sur le haut de mon crâne.

– I liked him so much. Natsume found him on the cliffs. He buyed me paintings.

Nous restons un long moment ainsi, enlacés et perdus dans la nuit de bord de mer. J'inspire son odeur d'encre et de tabac. Je sens contre ma joue le grain épais de sa peau, la chaleur du sang juste en dessous. Je me réchauffe à son souffle rauque, sa respiration de fumeur. Nous nous séparons avec d'infinies précautions, comme s'il nous fallait vérifier que l'autre va bien tenir debout lui aussi, que le lâchant on ne le laissera pas s'effondrer. Il sort deux minuscules verres du buffet, ouvre une immense brique rose et vert contenant deux litres de saké. Nous les buvons en silence, les yeux rivés sur l'écran où un type fait cuire de la viande dans une sauce caramel, sous les yeux émerveillés d'une femme opaline. Elle ponctue chacune de ses phrases par une exclamation enfantine. Durant de longues minutes, nous regardons griller les légumes, crépiter des lamelles de bœuf, dorer le sésame. Il monte le chauffage et nous vidons verre sur verre. Je m'adosse à son torse et il attrape une couverture, la déplie jusqu'à ce qu'elle recouvre la moindre parcelle de mon corps. J'ai chaud, j'ai les joues brûlantes, je suis ivre, je suis bien.

Il dort. Son samue ouvert laisse apparaître sa poitrine et le haut de son ventre. Une longue cicatrice le fend en deux. Je quitte la maison sur la pointe des pieds, le vent me gifle et la mer chamboule les galets, à son vacarme on la croirait démontée. Elle se contente pourtant de déployer ses vagues lourdes et lentes sous la lune incertaine. Les lampadaires illuminent la promenade, certaines lanternes se sont éteintes à force de vent, je n'ai aucune idée de l'heure, j'ignore si Natsume est rentré ou s'il est encore là-haut à errer, c'est la première fois que je m'absente après la tombée de la nuit, jusqu'alors je ne me suis rendue qu'au temple, j'y ai conduit Midori et elle semblait si calme et sereine là-bas elle aussi, elle semblait une autre, méconnaissable, débarrassée de ces sursauts d'écureuil, de cette tension que paraissent lui causer la peur, le besoin de se cacher, de s'enfouir et de s'enterrer vivante. Nous y avons passé l'après-midi entière. Face au pin millénaire, j'ai cru voir un léger sourire se former sur son visage, une ombre furtive, un abandon passager. Devant l'autel dédié à Jizo, divinité protectrice des enfants morts, chargée de les sauver des limbes, elle est restée immobile et sans larmes, on aurait dit qu'elle se forçait à rester là, à regarder les dizaines de jouets, de peluches, de doudous déposés en offrande. Le soir au dîner elle m'a paru plus détendue qu'à l'accoutumée. Natsume lui a parlé longuement et elle l'a écouté, attentive et concentrée. De temps à autre elle lui répondait, acquiesçait d'un mot ou d'un signe de tête. Puis elle a sorti le paquet de cartes et l'a déposé devant moi sans un mot. Nous avons joué jusqu'au milieu de la nuit, elle me volait des cigarettes qu'elle fumait en toussant, ses yeux disparaissaient de son visage lorsqu'elle aspirait la fumée.

Les promeneurs sont des ombres et le bar vient de fermer ses portes. Quelques clients fument une dernière cigarette face à la mer invisible, puis disparaissent dans les ruelles, titubant la chemise ouverte. Je ne marche plus très droit moi non plus. On a éteint les dernières lanternes. Une odeur de brûlé flotte dans l'air salé. Je respire à pleins poumons. Du sanctuaire provient le cliquettement des plaques de bois soulevées par le vent. Hiromi sort et rajuste sa veste, enroule une écharpe de laine pailletée autour de son cou. L'homme qui la colle est un Européen, ou un Américain, il l'enlace et l'embrasse, promène ses mains sur son cul, la bouche et les mains fiévreuses, prédatrices. Je les observe et Hiromi s'écarte, parlemente, ses yeux balaient les alentours, cherchent une aide. Je fais un pas en avant et aussitôt elle m'aperçoit, m'adresse un signe, elle n'attendait que ça, quelqu'un à qui faire un signe. Elle caresse la joue du type et me rejoint, ne se retourne pas, ne le voit pas la suivre des yeux, dépité et saoul. Elle s'en fout, me prend par le bras, veut savoir comment je vais.

– Je savais que tu n'étais pas partie. Tu as laissé tes affaires là-haut… Tu es où maintenant?

– Chez Natsume.

Son visage se fige et elle prend un air grave, se plante face à moi, me touche gentiment l'épaule. Ses yeux brillent et tremblent comme s'ils contenaient de l'eau. «Tout va bien maintenant, lui dis-je à l'oreille. Tout va bien.» Et en disant ces mots je sens bien qu'il s'agit aussi de m'en convaincre.

Nous montons vers la pension dans la nuit claire, étoilée et froide. Les bambous se balancent au milieu des érables dont chaque feuille rougit à présent. En plein jour, les collines au loin semblent des bouquets de couleurs juxtaposées, un assemblement de matières laineuses et chaudes. Hiromi actionne l'interrupteur et les lampes grésillent avant d'éclairer le camaïeu de blanc, de beige et de bois sombre du hall d'entrée. Elle fouille dans une armoire dissimulée par un panneau peint de grosses fleurs violettes et pourpres, en sort un sac où tiennent quelques vêtements, mon carnet d'adresses, une version du manuscrit de Nathan. De l'autre côté des baies vitrées, la masse rectangulaire du bain tangue à peine, sa surface opaque et lisse d'un bleu-vert tendre et parfait.

— Tu viens avec moi?

— Tu ne devrais pas dormir à cette heure? Tu as école demain, non?

Elle hausse les épaules et lâche un rire sonore puis se reprend, de peur de réveiller sa mère ou un pensionnaire.

Il fait un peu froid. Au moment de me trouver nue je sens l'air me glacer et je frissonne. Je me glisse dans l'eau chaude comme sous une couverture liquide et douce. À tâtons je cherche un large galet lisse pour m'y asseoir, étends mes jambes dans l'émeraude, la tête en arrière. Je ferme les yeux et me laisse fondre. Molle et saoule, j'attends que ma peau me quitte, que s'assouplissent mes muscles et s'amollissent mes nerfs. J'attends que ralentisse le battement de mon cœur et que s'immobilise le sang dans mes veines. Je l'entends s'approcher, poser près de moi le plateau où cliquettent mat deux bols et un flacon de saké, quitter ses vêtements un à un. J'ouvre les yeux sur sa peau blanche et tatouée près des hanches, ses jambes aux genoux tournés vers l'intérieur, ses fesses qu'on devine absentes, son torse long aux seins menus, ses épaules fines, clavicules de mésange, cou d'enfant maigre où se répandent les cheveux noirs. Elle se glisse dans l'eau et s'assied tout près de moi. Nous nous touchons presque. Au milieu des bruissements nocturnes nous buvons, les yeux rivés aux collines dont les ombres noires frissonnent.

— L'homme de tout à l'heure? C'est ton amoureux?

Elle me fixe d'un air moqueur, la bouche au ras de l'eau.

— Et celui d'avant?

Elle me fixe toujours, se rapproche de quelques centimètres, colle son bras au mien, contre ma peau sa peau d'anguille, glissante, insaisissable. Nous nous touchons à peine et c'est comme si je sentais son corps tout entier, comme si j'avais conscience du moindre millimètre de nos peaux nues, de son torse maigre d'adolescente, du moindre de mes os. Elle plante ses yeux au fond des miens, les fouille, me passe au scanner. On dirait qu'elle cherche quelque chose.

— Tu es la sœur de Nathan, c'est ça?

Elle dit ces mots dans un murmure. Je ne réponds pas. Pas tout de suite. Je ferme les paupières, me concentre sur la nuit, son goût de sève et d'écorce, sa lointaine rumeur marine. Elle repose la question, la tête lovée dans le creux de mon épaule, ainsi que le faisait Anaïs il y a des années de cela, le soir sur la terrasse face à la baie, de ma main je caressais sa joue fraîche et ses cheveux, laissais courir mes doigts dans son cou, le soleil se couchait sur la pointe et le ciel cramait, s'incendiait en traînées rouges et mauves. J'acquiesce et elle essuie la buée sur ses pupilles, se tait un long moment puis me dit qu'il est mort, que si 'e suis là c'est qu'il est mort. J'ignore de quel raisonnement, de quel pressentiment naît cette certitude. Elle paraît boule-versée, anéantie, comme l'était l'homme au distributeur tout à l'heure. Je la regarde et je me demande ce qu'a pu laisser ici Nathan de lui-même, d'à ce point brûlant, d'à ce point vivant, quand il me semble qu'en France, dans la maison de mes parents, dans le regard de ma sœur, dans ceux de mes enfants, tout s'est éteint si vite. Qu'a-t-il laissé ici, si loin de chez lui, qui perdure et flotte, dont je sens partout la vibration, au sommet des falaises, dans les rues de la station, sur chaque visage que je croise, chez Natsume, sur la bouche d'Hiromi qui m'embrasse soudain, dont la langue fouille la mienne, vive et fraîche entre les lèvres épaisses et douces.

J'ouvre les yeux, saoule et hébétée, le cœur en désordre. Dans la pénombre, Hiromi sourit. «Vous avez la même douceur, la même douceur dans la bouche», dit-elle dans un soupir. Puis elle ajoute que Nathan n'a jamais voulu lui faire l'amour, disant qu'elle était trop jeune et lui trop dangereux, qu'il ne fallait pas qu'elle s'attache, qu'il ne fallait pas qu'elle le suive. Il n'avait jamais consenti qu'à l'embrasser et ce furent les instants les plus doux, les plus intenses de sa vie. Elle l'aimait, elle n'avait que seize ans mais elle l'aimait comme elle n'a jamais aimé personne. Comme elle n'aimera peut-être plus. Je l'écoute sans sourire, je l'écoute et je la crois, malgré son jeune âge, malgré la vie qui l'attend et emportera Nathan, son souvenir et le goût de sa bouche. Je lui ressemble tant. Elle trouve que je lui ressemble tant, dès qu'elle m'a vue, elle a compris. C'est ce qu'elle dit. Qu'elle a compris mais qu'elle aurait tant voulu se tromper. Qu'elle aurait tant voulu ne pas savoir ce que signifiait alors ma présence ici. Elle se tait et ses yeux se ferment. Je l'imite et je plonge dans un sommeil sans rêve, un sommeil limpide et soyeux, un sommeil aquatique.

Quand je me suis réveillée, Hiromi n'était plus là. Je suis sortie de l'eau et l'air humide et froid a glacé mes cheveux, je suis rentrée chez Natsume grelottante. Dans la chambre, la lumière était allumée ; elle s'est éteinte dès que j'ai pénétré dans le salon, j'ai pensé qu'il avait dû veiller jusqu'à mon retour, j'ai pensé à ses gestes de mère, aux miens quand Romain rentrait tard d'une soirée chez des copains, le front collé à la vitre fixant la rue déserte, les jardins pétrifiés dans la lueur orange des lampadaires, épiant le moindre mouvement, guettant le moindre bruit de pas de moteur ou de serrure. La pendule indiquait quatre heures du matin. Je me suis fait chauffer du thé, je l'ai bu dans la pénombre, au milieu du désordre familier, amas d'objets hétéroclites, formes compliquées des plantes en découpes sombres, rectangles plus clairs des fenêtres projetées sur le sol, bourdonnement de l'ordinateur allumé. Le carnet d'Haruki traînait sur la table, je l'ai pris dans mes mains puis l'ai reposé. J'ai fini par l'ouvrir et me suis reconnue à chaque page. Par moments ce n'était que mon visage, seuls changeaient l'expression, les jeux d'ombres, les cheveux, retenus ou lâchés, tombant sur mes yeux ou ramenés derrière l'oreille. Sur d'autres croquis j'étais en pied, vêtue d'une robe ou d'un manteau, assise à une table dans la maison, marchant le long du canal, agenouillée dans la salle de prière du temple, allongée sur la plage ou figée dans les ruelles, les yeux rivés au dessin compliqué des lignes électriques barrant le ciel noir. Sur plusieurs dessins aussi j'apparaissais nue, endormie et à peine couverte d'un drap repoussé sur mes cuisses. Ailleurs encore j'étais au bord de la falaise, les cheveux et la robe tirés en arrière par le vent du large. J'ai refermé le carnet, l'ai reposé à sa place. Dans mon dos un bruit m'a fait sursauter. C'était Natsume. À la cuisine, flottant dans son pyjama de coton beige, il se servait un verre d'eau. Il a bu devant l'évier, arrosé deux plantes vertes avec le reste. Au milieu du sommeil et sans lunettes, il m'a semblé plus jeune, le visage lisse et pâle, les traits détendus, la peau plus souple. Il a souri en me voyant, m'a dit qu'il fallait que je me repose, que je dorme, il était tard. Nous avons parlé quelques minutes, régulièrement je tentais d'en savoir plus mais il ne livrait rien ou presque. Sa carrière de flic ne méritait pas qu'on s'y attarde, il avait accompli sa tâche du mieux qu'il avait pu mais pour l'essentiel il avait vécu tout cela comme un échec. En tant que policier on intervient toujours trop tard, disait-il. Une fois que le mal est

fait. Dans la plupart des cas il y avait des causes, psycho-
logiques ou sociales, profondes, structurelles, qu'il aurait
fallu traiter en amont, mais c'était toujours pareil, personne ne s'en souciait, le monde continuait sur sa lancée,
on se contentait de punir et de limiter la casse. Comme
tous ses collègues, il se souvenait de s'être engagé parce
qu'il voulait être utile, mais ce n'était qu'aujourd'hui qu'il
avait enfin la sensation de l'être, en haut des falaises, dans
cette maison, auprès de nous. Quant au reste il demeurait
évasif : il avait toujours travaillé ici, y était né, y avait passé
sa vie et n'avait jamais songé à vivre ailleurs. C'est tout ce
que j'avais pu tirer de lui jusque-là. Il s'est excusé, il allait
se recoucher, il ne restait pas tant d'heures avant le lever
du jour. Au passage il a attrapé le carnet. Je suis restée seule
dans le salon silencieux, à écouter son pas dans l'escalier,
la porte d'Haruki qu'il a ouverte puis fermée, le parquet
qui a grincé sous son poids. Je l'ai entendu regagner sa
chambre et tout s'est éteint. C'était un silence doux, de
ressac amorti, de voitures rares, c'était un silence chaud
et rassurant, qui ne nécessitait pas qu'on le brise, qu'on
branche la radio la télévision ou l'aspirateur – chez moi
il m'arrivait de l'allumer et de le laisser vrombir, sans que
je puisse m'expliquer pourquoi ce bruit me protégeait,
comme celui du sèche-cheveux ou de la tondeuse dans
le jardin des voisins. Je me suis assise face à l'ordinateur, j'ai
effleuré le clavier et l'écran s'est illuminé, diffusant autour

de lui un maigre faisceau blanchâtre, éclairant quelques feuilles, un stylo, une pile de livres et deux minuscules statues de pierre figurant deux moines priant les mains jointes, l'un coiffé d'un chapeau et l'autre chauve. J'ai entré mon adresse et mon code, consulté mes messages, parmi les publicités d'usage et les lettres d'information diverses, Alain me donnait quelques nouvelles banales et dénuées d'affect. Là-bas la vie suivait son cours, et mon absence ne semblait rien changer de notable. Les enfants partageaient leur temps entre le lycée, le collège, les cours de tennis, d'équitation et leurs amis. Ils pensaient à moi et m'embrassaient. Quant à lui, il venait de passer son entretien annuel avec le DRH, en dépit de la crise son salaire allait être revu à la hausse et ses primes augmentées. À la fin du message il m'encourageait à prendre mon temps, me demandait de ne pas m'inquiéter pour eux, l'essentiel à ses yeux était que je prenne soin de moi. Je sais combien ces mots étaient pétris de bienveillance, nourris des meilleures intentions, mais je n'ai pas pu m'empêcher d'y voir la totale indifférence où le laissait mon départ. J'aurais voulu qu'il s'inquiète, qu'il me supplie de rentrer, qu'il me promette de s'occuper de moi. Même si j'aurais détesté ça. Même si je ne serais pas rentrée pour autant. J'ai fermé le message, ouvert les deux suivants, ils provenaient de deux grands éditeurs parisiens. Le premier m'informait du refus du comité de lecture. Le second, bien que négatif, était plus amical, reconnaissait au texte de Nathan son ambition, sa radicalité, mais en déplorait le côté bancal, inégal et brut. Le signataire prescrivait un retravail approfondi. J'ai éteint l'ordinateur.

L'aube se lève et délivre la ruelle de son écorce noire. Je suis allongée et ma main droite caresse le bois lisse du plancher, l'autre soulève le store. Il faudrait sans doute que je dorme. Au rez-de-chaussée, j'entends Natsume s'affairer, préparer le café, cuire les œufs. J'ai relu cent pages du manuscrit de Nathan. Le récit suit au plus près les soubresauts d'une pensée versatile et contradictoire, épileptique. Je ne vois pas comment on peut lui reprocher d'être ce qu'elle est par nature : bipolaire, accidentée, obsessionnelle. Je sais que je n'y connais rien, que mon amour pour lui m'aveugle, j'ignore ce qui me pousse à vouloir lui trouver aujourd'hui ce que je lui ai toujours refusé : le prendre au sérieux, croire un minimum en lui. Ne pas considérer son entêtement à écrire comme un caprice d'adolescent attardé, ne pas laisser s'insinuer en moi le mépris de mon si gentil mari, la déception de ma mère qui aurait tant rêvé pour lui d'une situation stable, le scepticisme de mon père et ses « qu'est-ce que tu crois ? », sa certitude absolue que ce genre d'activité n'était pas pour « nous autres », qu'elle était réservée en quelque sorte aux gens bien nés, aux hautes sphères, aux «fils de». Je revois comme hier son visage froid et déconfit lorsque Nathan a quitté les bancs du lycée où il suivait un BTS de technique de vente, déclarant qu'il n'était pas fait pour ça, que personne ne l'était, qu'il allait crever s'il continuait, que de toute façon il souhaitait écrire, se consacrer à la littérature, que pour ça il n'avait besoin d'aucunes études, rien sinon un toit, de quoi manger, la compagnie des livres et des auteurs, du papier, des stylos et c'était tout.

— Mais qu'est-ce que tu crois? Tout le monde écrit. Même moi quand j'avais ton âge je griffonnais des poèmes. Et puis comment tu vas gagner ta vie? Ne compte pas sur nous pour t'entretenir...

Nathan l'avait pris au mot. Avait déniché un job de serveur, quitté la maison pour une chambre minuscule dans le quartier de Belleville à Paris, et s'était engagé dans la vie qui a été la sienne jusqu'à sa mort. Les petits boulots, l'intérim, veilleur de nuit, barman, manutentionnaire au Franprix du coin, gardien de parking, ouvrier à la chaîne dans une usine de Ris-Orangis, tous emplois qu'il quittait au bout de quelques mois ou dont il se faisait virer au bout de quelques jours. L'écriture et l'alcool, l'exaltation et l'abattement, le doute, la solitude et l'absence totale de soutien. Il traînait dans des bars fréquentés par des artistes branchés, de jeunes écrivains dont on parlait dans les journaux, des aspirants prenant la pose, pestait contre leur inculture, l'imposture de leur vie. «Tu comprends, me disait-il, ce sont des fils de bourges qui jouent au rebelle de la famille et se prennent pour des écrivains parce qu'ils ont lu trois Fante et deux Bukowski : ils se bourrent la gueule, passent plus de temps en soirées qu'à leur bureau, écrivent comme ils pissent, se relisent à peine, se trouvent du génie et pensent que ça suffit. Tu comprends ils ont tous un oncle éditeur, un cousin producteur, une tante critique, un parrain animateur de télévision, un frère journaliste, un réseau, des connexions, des entrées. Tu comprends pas un d'entre eux ne risque un jour de se retrouver à la rue, tous ont des parents qui leur ont payé un appartement, leur ont versé des donations, leur virent chaque mois l'équivalent d'un salaire, leur refilent deux trois billets chaque fois qu'ils viennent sagement bouffer le rôti du dimanche. » Nathan avait le sentiment de partir de plus loin que les autres. Il n'avait pas tort mais je ne voyais pas en quoi cela pouvait le légitimer ni accroître le mérite ou la qualité de ses écrits. Au fond, à part la précarité réelle de sa situation, que j'adoucissais parfois, je ne pouvais m'empêcher de l'inclure dans le tableau qu'il dressait, les yeux rouges de colère, de cette sorte d'aristocratie en fin de cycle qui préférait le statut de l'écrivain à la littérature, à l'écriture elle-même. Au fond je détestais cette prétention qui le poussait à s'ériger en artiste avant même d'avoir produit, montré, partagé quoi que ce soit.

Toutes ces années j'avais méprisé Nathan, ses aspirations et ses choix, ses faux airs de Martin Eden, et maintenant qu'il était mort je prenais le beau rôle, cherchais à tout prix à lire dans ces pages un talent authentique, l'acharnement au travail, et dans sa vie une ligne de conduite admirable, risquée, funambule, à deux doigts d'une certaine vérité.

Après nos bacs respectifs, nos chemins ont peu à peu divergé. Papa venait d'être mis au placard, dépassé par des jeunes types de vingt-cinq ans, tout juste sortis de Sciences Po, de l'ESSEC, ou de HEC. Il avait commencé à travailler à seize ans, sans diplôme ni la moindre formation, avait gravi les échelons un à un, jusqu'à ces zones où le travail, la compétence, l'expérience et le sérieux ne suffisaient plus, jusqu'à ces sphères où l'on ne tolérait plus les autodidactes, où l'on gérait entre soi, armés du même pedigree, arrogants et cooptés. Sa froideur, sa fatigue de travailleur ont fait place à une amertume désabusée, au sentiment d'avoir été floué. Il était obsédé alors par la peur que ses enfants subissent le même sort, qu'ils se trouvent entravés par l'absence de diplôme, il voulait pour nous les plus hautes écoles, les formations les plus cotées. J'ai suivi cette voie. Nathan non. Voyant venir les choses de loin, il avait redoublé sa seconde, volontairement saboté sa terminale, péniblement obtenu son bac au rattrapage, et accepté du bout des lèvres de postuler à des BTS où il fut déçu d'être pris et qu'il abandonna très vite. Tout ça a tellement blessé mon père : il y voyait un tel gâchis, un caprice dont, disait-il, ni Nathan ni personne ne pouvait aujourd'hui se payer le luxe.

— Tu n'auras pas de deuxième chance, tu sais. Tu n'auras pas d'autre chance, Nathan. À mon époque encore, on s'en sortait en étant sérieux, travailleur, mais c'est fini tout ça. Un faux pas et tu es hors jeu, hors circuit. Pas de diplôme et c'est fichu. Moi on a fini par me foutre dehors mais toi, sans formation, on ne te laissera même pas monter dans le train. C'est fini tout ça. Non, pas de deuxième chance.

Mon père sombrait, s'effondrait sans drame, sans bruit. Il passait d'une absence à l'autre, se refermait toujours plus. Ma mère l'avait convaincu d'aller voir un psy, il y est allé en haussant les épaules, des trucs de filles, de mecs biaiseurs, de l'enculage de mouches, tout ce qu'il détestait. Je mesure aujourd'hui à quel point Nathan représentait tout ce que mon père abhorrait, je comprends mieux aujourd'hui la violence sourde, discrète, feutrée qui suintait de leurs rencontres, en dépit des tonnes de silence, de non-dits et de malentendus sous quoi ma mère tentait de les enterrer.

Je me suis inscrite à l'université et j'y ai passé cinq ans. Les premiers temps, quels que soient ses horaires de cours, puis de boulot, Nathan partait avec moi, prenait le même train pour Paris, une heure trente de RER entre notre petite ville de banlieue et la porte Dauphine, l'air confiné

165

les fauteuils éventrés au cutter la sueur des travailleurs la mallette à la main. Chaque matin lorsqu'il descendait six stations avant moi j'avais le sentiment que quelque chose se déchirait. Nous étions désormais séparés. Je plongeais dans les couloirs de la fac en apnée. J'étais la seule à venir de la banlieue sud, la seule à ne pas habiter à Paris Neuilly ou Versailles, la seule à ne pas avoir un père directeur financier, une mère responsable de la communication dans une «agence», la seule à n'avoir en poche que la somme exacte du repas pris au resto U et pas un centime de plus, la seule à porter des vêtements achetés sur les étals du marché du dimanche, la seule aussi à ne pas lire les pages saumon du *Figaro*, des *Échos* ou du *Revenu français*, la seule à ne pas voir en Alain Madelin une figure d'avenir, en Balladur un sauveur, en Juppé une relève, la seule à me promener avec au fond de mon sac les poèmes de Dylan Thomas, et dans mon walkman les premiers albums de Leonard Cohen. Je sais que c'est faux. Que je n'étais pas la seule. Mais c'est le sentiment que j'avais alors. Et c'était un sentiment d'une violence douloureuse et sèche insensée, un sentiment de déplacement total, social, intime, culturel. Les autres me paraissaient avoir vingt ans de plus, des préoccupations d'adultes, confits dans la recherche du confort, de la puissance, du pouvoir, mus par l'argent selon une force d'attraction aussi peu commune qu'inconsciente. Les choses se sont aplanies avec le temps. J'ai pris le pli.

Me suis familiarisée. Disons que j'ai appris à cohabiter. Avec ceux qui aux yeux de Nathan resteraient à jamais des ennemis. Et qui aux miens demeuraient parés d'une brutalité et d'un sentiment de leur propre valeur qui me glaçaient le sang. Si je repense à eux aujourd'hui, j'aimerais me dire que la vision que j'en avais était caricaturale, que Nathan me bourrait le crâne, que pour contrer ma gêne et mon sentiment d'exclusion j'avais nourri envers eux une haine aveugle, un rejet. Pourtant je ne les ai jamais vraiment quittés, j'ai fini mes études auprès d'eux, j'ai travaillé avec eux, pour eux, j'ai même épousé l'un d'entre eux, et s'ils ont changé, s'ils ont perdu en superbe ce qu'ils ont gagné en situation sociale, rien n'est venu nuancer mon souvenir, et encore moins le contredire.

Souvent, Nathan venait me chercher à la fin des cours, nous cheminions dans les rues aux façades blondes et griffées d'arbres, parfois dérivions dans les sous-bois du bois de Boulogne, là-bas la forêt nous manquait, et les berges du fleuve. Paris nous intimidait, nous rejetait, nous laissait à la porte de ses cafés, ses restaurants, ses boutiques, où nous n'osions pas entrer, dont il nous apparaissait qu'ils ne nous étaient pas destinés, qu'ils étaient trop chic pour nous, réservés à une autre espèce que la nôtre. Partout le cinéma le théâtre et la musique s'affichaient mais tout était trop cher, nous finissions sur les pelouses des jardins, au pied de marronniers immenses au tronc énorme, aux branchages extravagants et musculeux, les doigts coiffant les herbes nous lisions côte à côte des livres de poche volés chez Gibert. À l'université je ne parlais à personne je n'osais pas ils me semblaient si différents, comme bâtis dans une autre matière, un autre alliage, parlant une autre langue, vivant une autre vie. Ils portaient de beaux vêtements, des chaussures nettes, des bijoux discrets, du parfum haut de gamme, ils sortaient le soir, passaient des week-ends à la mer ou à la campagne partaient en vacances au soleil ou au ski, parlaient de soirées de cafés branchés de boîtes de nuit, ils étaient cool, brillants, à l'aise en toutes circonstances, ils possédaient des voitures, des appartements, des projets d'avenir un plan de carrière, une fiancée une promise un copain une liaison des aventures, dans les rues ils riaient fort, marchaient droit d'une démarche souple et assurée, leurs cheveux mi-longs leurs visages attrapaient les rayons du soleil, ils s'attablaient à la terrasse d'un restaurant commandaient un plat à cinquante francs ajoutaient un dessert un café payaient par carte, après les cours s'invitaient à « prendre un verre », « se faire un resto ou un ciné », c'était une autre vie que je ne leur enviais pas tant je me serais sentie incapable de la vivre, d'y tenir un rôle. Alors je rasais les murs, patientais dans les couloirs, bien à l'écart protégée par la musique et les romans de Modiano, j'entrais dans la salle et m'asseyais en retrait, prenais tout en notes, encaissais des cours que je recrachais mot pour mot dans des copies cornées pour dissimuler le nom de leur auteur. Rien ne m'intéressait vraiment, mais ce n'était pas si grave. J'essayais juste de comprendre. De temps à autre Nathan jetait un œil à mes fiches, il souriait ou haussait les épaules, les cours de marketing et de communication avaient sa préférence, « une bouillie de sciences molles, disait-il, des truismes assimilables par n'importe quel élève de cinquième, déguisés en matière d'études par un jargon risible, le tout ne dépassant que rarement le niveau requis par le visionnage d'une émission du dimanche soir sur la Six ». Il n'avait pas tort, et nous dérivions dans la ville avant de reprendre le RER et de rentrer à la maison, où mon père arrivait de plus en plus tôt, la mine terne et les cheveux de plus en plus blancs. Lui aussi passait des jours pâles, translucides, assis à son bureau où le téléphone ne sonnait plus, occupé à des tâches dont l'utilité lui semblait douteuse. Une préretraite avant la préretraite, une préretraite obligatoire pour le pousser à démissionner avant la vraie, mais on ne l'aurait pas, il tiendrait en dépit de tout, de l'ennui et des vexations, commentait-il brièvement, avant d'attirer notre sœur contre lui, d'embrasser ses cheveux, de la chatouiller et de lui demander de lui raconter sa journée. Nathan les observait du coin de l'œil, et je ne peux m'empêcher de penser que cette vision le blessait, qu'il était rétrospectivement jaloux de ces manifestations de tendresse auxquelles il n'avait jamais eu droit. De mon côté, que notre père si distant et froid se métamorphose ainsi pour notre sœur, et plus encore avec mes propres enfants pour qui il était l'image même de la tendresse, de la chaleur, de la drôlerie, me rassurait, m'emplissait d'une joie mélancolique. Je me disais voilà, il est passé à côté de nous mais il se rattrape, il aura connu ça, l'immensité de l'amour qu'on donne et qu'on exprime pour des enfants. J'étais heureuse pour lui, je me disais qu'au fond tout était rattrapable, qu'il avait tort : on a toujours une seconde chance. En toute chose. Au bout de quelques semaines à peine, Nathan a donc déserté les bancs de son lycée, trouvé un boulot de serveur dans un bar, loué une chambre sous les toits où je dormais aussi le plus souvent. Je ne rentrais plus que le week-end. Pour ma sœur. C'était encore une enfant et j'avais l'impression de l'abandonner et de la perdre. Il me semblait que le mot sœur n'avait pas le même sens pour Nathan. En rentrant le vendredi soir je retrouvais un monde ancien dont j'avais perdu les clés, à la fois familier et méconnaissable. Me frappaient la tristesse de ma mère, le silence de mon père et la froideur de la maison. Le calme et l'immobilité. Clara se jetait dans mes bras et réclamait que je regarde la télévision avec elle. Je m'exécutais et tentais de rattraper le temps perdu. Mais c'était trop tard. J'étais déjà loin et Nathan plus encore. Clara grandirait sans nous, à la maison elle vivrait une autre vie que la nôtre, deviendrait cette adolescente à la fois sûre d'elle et timide, sociable et capricieuse, obsédée par la nécessité de plaire, d'être à la mode, insérée, populaire, en phase avec les préoccupations, les goûts, les occupations de son âge. On aurait dit qu'elle avait saisi quelque chose de notre absolue solitude, de notre isolement, de nos incapacités, on aurait dit qu'elle tentait à tout prix de ne pas reproduire les mêmes erreurs, de ne pas nous ressembler. Elle deviendrait cette jeune femme énergique et ambitieuse, moderne et stressée, promenant dans la ville ses ongles rongés et ses nuits de sommeil tronqué, toujours débordée, toujours inquiète. Elle était notre sœur et elle deviendrait peu à peu une inconnue.

Je me suis mariée l'année de mes vingt-trois ans. Je crois que c'est cette année-là que nos vies ont vraiment dévié. Je vivais avec Alain depuis trois ans, nous étions sur le point d'emménager dans un trois-pièces du quinzième arrondissement que nous quitterions pour les banlieues chic un an plus tard, peu avant la naissance inattendue d'Anaïs, je m'apprêtais à faire carrière dans le textile et sans jamais le dire Nathan vomissait tout en bloc : Alain, l'appartement puis la maison, et ce qu'il qualifiait de « collaboration active ». Mais quel autre choix me proposait-il ? « On a toujours le choix, m'avait-il répondu un jour, les dents serrées, les yeux tremblant de colère. Quand on a fait des études, on a toujours le choix. Entre la main gauche et la main droite. Entre ce qui blesse et ce qui soigne, entre ce qui aggrave et ce qui répare. On a toujours le choix. Tu pourrais très bien bosser dans le social, enseigner, entrer dans un service public, mettre ton intelligence et ta force de travail au service des gens, de la culture, de l'éducation. Tu pourrais très bien choisir de moins bien gagner ta vie et d'ouvrir les yeux sur ce que tu vas faire. Tu pourrais très bien t'abstenir d'apporter ton eau au grand moulin du libéralisme, de la religion du profit et de la rentabilité, des délocalisations, de la production à bas coûts en Inde ou au Bengladesh. Tu pourrais. » J'avais de plus en plus de mal à supporter ses cours de morale, ses jugements, je sentais son ombre planer sur chacun de mes actes et j'étais écartelée. Entre lui et Alain. Entre lui et mon père. Entre celle qu'il me pensait être, profondément, mais de manière abstraite, comme si au fond je n'étais pour lui qu'une idée, un concept pur, débarrassé des contingences et des nécessités de la vie réelle, et celle que je devenais par les actes, même à distance, même à moitié absente, même sur la pointe des pieds. Alain disait « mais regarde-le, il donne des leçons mais ça fait des années qu'il zone, il n'a toujours pas mis les pieds dans le vrai monde, dans la vraie vie »... À cette époque, déjà, je ne le voyais plus que de loin en loin. Il bossait à Aubervilliers dans un entrepôt le jour, travaillait à son roman la nuit, je vivais avec Alain dans le studio que lui avaient payé ses parents, Nathan ne l'aimait pas beaucoup et ne voulait plus que je vienne chez lui, son appartement était dans un tel état de bordel qu'il refusait que j'y entre. Entre nos rencontres bi- ou trimestrielles, outre le travail et la littérature, j'ignore ce qu'il faisait vraiment de sa vie. Je ne lui connaissais pas d'amis. Nathan s'entichait chaque semaine de nouvelles têtes croisées dans un bar, dans la rue ou à son travail. Ça ne durait jamais. Au bout de quelques jours ils ne prenaient même plus la peine de décrocher leur télé- phone, lassés, épuisés, effrayés, que sais-je. Des filles aussi se succédaient, qui ne restaient jamais plus d'une semaine ou deux. Lorsqu'on se voyait, Nathan faisait mine d'en plaisanter mais je le sentais meurtri et seul, d'une pirouette il s'en tirait par un « mais tu sais bien que c'est toi l'amour de ma vie » auquel je feignais de sourire même s'il me glaçait. Quand nous nous quittions Nathan avait déjà descendu trois bières et sa voix était pâteuse, ses yeux liquides, il buvait de plus en plus, parfois il me téléphonait vers midi et déjà sa voix trahissait l'alcool pourtant je n'osais rien lui dire, je voyais bien que nous filions dans les doigts l'un de l'autre mais ça devait me paraître inéluc- table. Je ne sais plus. Je crois qu'il se sentait trahi. Depuis que j'avais rencontré Alain, depuis que je m'étais engagée pour de bon dans cette voie professionnelle, il se sentait trahi. Abandonné.

Le mariage a eu lieu quelques mois après mon embauche définitive. Après deux CDD consécutifs, Alain avait quant à lui été engagé à la BNP, à un poste élevé au salaire assorti. Nous allions pouvoir changer d'appartement. Ses parents avaient loué un château en lisière des premières terres normandes. Des gamines en robe blanche ont tenu ma traîne, des enfants costumés et coiffés ont jeté du riz à la sortie de la mairie, des gens que je ne connaissais qu'à peine nous ont pris en photo, m'ont invitée à danser, ont chanté des chansons pour raconter notre histoire dont ils ne savaient rien, ont projeté des photos et des bouts de films où j'apparaissais gamine, pour la plupart c'étaient des amis d'Alain, ses parents, ses cousins ses oncles et ses tantes, certains venaient de Bordeaux mais la majorité vivaient à Paris à Versailles à Chatou, au Vésinet à Saint-Cloud à Meudon à Neuilly, tous avaient cette élégance naturelle, portaient des vêtements choisis qui leur allaient comme un gant, parmi eux mes parents mes deux oncles mes deux tantes ma cousine et ma sœur avaient l'air déplacés. Ils restaient dans leur coin, discrets et empruntés, impressionnés et s'extasiant sur tout. Mon père suait à l'étroit dans son costume trop serré qu'un vendeur lui avait refourgué en lui assurant que la mode était au « cintré », ses chaussures neuves lui faisaient mal et il ne savait pas où se mettre. Ma mère portait un chapeau ridicule et une robe qui lui avait coûté les yeux de la tête et lui semblait de bon goût, mais qui ressemblait en tout point à une robe achetée exprès pour un mariage. Endimanchée elle a rougi quand les parents d'Alain l'ont complimentée pour sa tenue, si gaie, si colorée. Le dîner a commencé et Nathan n'était pas là. Il avait déjà raté la mairie, invoquant une panne de RER, arrivé trop tard il avait dû se débrouiller seul pour rallier Vernon, et de là devait appeler mon père pour qu'il vienne le cueillir à la gare et le ramène parmi nous. À la mairie j'en aurais chialé, j'avais dit oui et mon frère n'était pas là, c'était inconcevable, dans un moment de panique, constatant son absence, j'avais suggéré à Alain qu'on reporte tout ça. Il m'avait regardée comme si j'étais folle, «enfin Sarah tu plaisantes, on ne peut pas faire une chose pareille»… Son ton était dur, il m'avait parlé comme à une petite fille, il s'en était rendu compte et m'avait prise dans ses bras. Nathan a fini par arriver, maman était épouvantée parce qu'il portait un jean, Clara a eu beau lui faire remarquer qu'il avait aussi mis une chemise blanche une veste grise une cravate noire elle n'en démordait pas : qu'allaient dire les autres ? Personnellement je m'en foutais, je le trouvais beau comme ça, il m'a serrée dans ses bras, m'a embrassé les cheveux. Il parlait trop fort, disait n'importe quoi, rien qu'à son haleine j'ai compris qu'il avait bu. Alain a fait semblant de rien, il a conduit Nathan jusqu'à sa table, autour de sa chaise vide discutaient des jeunes gens, des cousins ou des copains de fac je n'en savais rien. Nathan s'est étonné en plaisantant de ne pas être à la table d'honneur, j'ai balbutié que les parents et Clara n'y

175

étaient pas non plus, je savais que ce n'était pas une raison valable, je me suis sentie merdique, je me suis sentie moins que rien, je me suis revue au moment du plan de table regardant la nôtre se remplir des proches amis d'Alain, de son frère et de sa sœur, je me suis revue ne rien dire lorsque j'ai constaté que Nathan n'y serait pas, je me suis revue m'en trouver secrètement soulagée parce que j'avais peur qu'il boive trop, qu'il se lance dans ses discours gauchistes, qu'il devienne agressif, sentimental, prétentieux, en vérité j'avais peur qu'il ne sache pas se tenir, qu'il ne fasse pas bonne figure, qu'il me fasse honte. Aujourd'hui en repensant à ça je jure que je m'en veux. Et pourtant je n'avais pas tort, Nathan s'est installé et n'a rien avalé de solide de la soirée. D'où j'étais je le voyais, il me lançait parfois un sourire énigmatique, secouait la tête avec un air d'enfant perdu. De temps à autre il se mêlait à la conversation, les dents serrées, le visage tendu. Cela ne me disait rien de bon. Après le fromage, nous avons fait le tour des tables. Mes parents trouvaient tout merveilleux, le vin, les fromages, la viande, les flans de courgettes et de langoustines, les lustres en faux cristal, les tapis, les gens. Pas un instant ils ne se sont décoincés, pas une fois je ne les ai vus rire, se détendre, à leurs côtés les oncles, les tantes, ma cousine étaient au diapason, les conversations étaient les mêmes qu'à la maison, la santé le travail et l'école pour les enfants, ce n'était pas un mariage mais un déjeuner du dimanche, gigot flageolets tarte aux pommes café sieste promenade dans le parc plus bas, on prenait la grand-rue vers la Seine et de larges pelouses accueillaient les footballeurs amateurs, les lanceurs de frisbee, les enfants juchés sur leurs vélos miniatures. À la table de Nathan nous avons été salués par des hourras, des sifflets, des applaudissements, le brouhaha habituel des réunions de copains, la joie bruyante des banquets post-étudiants. Pour la plupart je ne les connaissais que de vue, j'avais coutume de ne pas accompagner Alain lors de ces soirées d'anciens combattants, prétextant ma timidité maladive, ma phobie des groupes, mon incapacité chronique à me sentir à l'aise dans ce genre de circonstances. Parmi eux Nathan était sombre, les yeux brillants, le corps sec, la mine renfrognée. Il avait ôté sa cravate, défait deux boutons de sa chemise, des gouttes de sueur perlaient à ses tempes.

— Alors tout va bien ici? a demandé Alain d'une voix trop forte et enjouée, trahissant les verres bus et le manque d'habitude.

Je ne sais plus qui a répondu avec ce ton grinçant, lequel d'entre eux a ironisé sur leur si charmant convive dont la bonne humeur faisait si plaisir à voir, dont les idées les avis étaient si nuancés, si mesurés. «Un vrai rebelle», a-t-il fini par conclure, sur un ton où suintait le sarcasme. J'ai regardé Nathan et il a haussé les épaules, l'air de dire «ben quoi, on discute, c'est tout», je le connaissais par cœur et

n'avais aucun mal à me figurer la scène, sa capacité invrai-
semblable à jeter un froid, mettre les pieds dans tous les
plats possibles.

— Mon frère est un provocateur, ai-je tenté pour apaiser
les choses, ne vous laissez pas faire…

La manière qu'a eue Nathan de me regarder alors, je
m'en souviens encore, elle disait l'écœurement, elle disait
la rancune, elle disait la haine, c'était la première fois qu'il
me regardait ainsi, qu'il me regardait comme il regardait
les autres, la première fois qu'à ses yeux je passais de l'autre
côté. Nathan a réclamé une nouvelle bouteille et nous
avons quitté la table, sommes passés à la suivante, Alain
a entonné son dixième «alors les amis comment ça se
passe ici, la soirée est bonne?», puis son onzième et ainsi
de suite. Je répondais aux questions en veillant à ne pas
oublier de sourire, d'acquiescer, de m'exclamer, de rire à
leurs blagues, de les remercier pour leurs gentils compli-
ments, quel joli couple nous formions, comme Alain avait
une femme ravissante, quels jolis enfants sortiraient de mon
ventre, pourvu qu'ils aient la beauté de leur mère et l'intelligence de leur père… Quand nous avons enfin regagné
notre place, Nathan n'était plus là. Je suis sortie, au loin
son ombre titubait dans la nuit. Je l'ai suivie en tenant
le tissu de ma belle robe blanche pour qu'elle ne boive
pas la boue, Nathan a traversé un champ où dormaient des
vaches, dans l'obscurité leurs masses immobiles figuraient

d'étranges amas rocheux, un souffle profond sourdait de leurs naseaux, se fondait au bruissement des arbres. De l'autre côté des barrières s'élevait une forêt dense, on n'y voyait rien et sous mes pieds l'humidité formait des rigoles caillouteuses. J'ai buté sur des racines, puis sur les jambes de Nathan. Étendu à même la terre gorgée d'une pluie ancienne il faisait mine de dormir ou d'être mort. J'ai passé mon doigt sous son nez comme quand j'étais gamine et qu'il se tenait allongé inanimé mimant d'être parti pour l'au-delà, j'ai senti le filet mince et brûlant de l'air qu'il expirait, j'ai prononcé son nom mais il n'a pas desserré les mâchoires, je l'ai sommé de répondre, de s'expliquer, j'étais en colère contre lui, il me faisait honte il avait tout gâché je ne voulais plus jamais le voir. J'ai prononcé ces mots et aujourd'hui encore ils me font mal.

Nathan n'est réapparu que beaucoup plus tard, je dansais et mes parents menaçaient de s'endormir à tout moment, écroulés sur leurs chaises et repus. Ils sont venus me dire au revoir, m'ont présenté leurs félicitations comme si j'étais une cousine lointaine ou une vague connaissance, ils allaient ramener Nathan avant qu'une catastrophe ne survienne. Nathan baissait la tête comme un enfant puni, il ne m'a pas embrassée ne m'a pas adressé le moindre mot. Je les ai regardés traverser la salle, Clara traînait des pieds, elle voulait rester encore, elle s'amusait bien trouvait les cousins d'Alain trop cool, trop sympas, trop tout, elle avait les joues rouges et se laissait draguer par des minets à mèche blonde de trois ou quatre ans plus vieux qu'elle, en la regardant j'ai admiré sa capacité à se fondre dans tous les décors, à se sentir à l'aise en toutes circonstances, tout lui semblait déjà si facile, évident, que nous manquait-il à Nathan et à moi, qu'est-ce qui clochait, qu'est-ce qui nous faisait défaut ? Qui nous avait privés du mode d'emploi ?

Après le mariage je n'ai pas vu Nathan pendant plusieurs semaines, ni entendu le son de sa voix. Je ne sais pas qui tirait la gueule à qui, qui en voulait à l'autre, qui refusait de l'appeler, de lui faire signe, de lui pardonner quoi d'ailleurs. C'est le département psychiatrique d'un hôpital de banlieue nord qui a rompu le silence. Nathan avait tenté de mettre fin à ses jours et se reposait là, il avait refusé qu'on prévienne quiconque à part moi, il attendait ma visite. J'ai raccroché, éteint mon ordinateur, prévenu ma supérieure qu'il fallait que je m'absente, une urgence, un problème familial, elle ne l'entendait pas de cette oreille, notre rendez-vous n'allait pas tarder à arriver, des fournisseurs indiens avec qui la négociation s'annonçait rude, nous visions une réduction de vingt-cinq pour cent des coûts à volume égal et dans des délais réduits de deux semaines, nous pensions parvenir à nos fins, peu nous importait de savoir à quel salaire horaire dans quelles conditions à quel âge ces travaux seraient effectués, nos objectifs de rentabilité, nos marges et les profits escomptés étaient définis en hautes sphères, nous nous exécutions pour le bien de la boîte qui nous faisait vivre et se battait bec et ongles dans un environnement hyperconcurrentiel, pour satisfaire nos clients attendant de nous des vêtements de qualité au meilleur prix. Il arrivait que des documents internes destinés à mieux nous faire partager l'esprit de la marque parlent sans rire de «démocratisation du beau». J'ai dit non, je ne peux pas, tant pis pour la réunion, tant pis pour la démocratie, tant pis pour le beau, je dois partir maintenant, ma chef de groupe m'a regardée interloquée, j'étais au bord des larmes j'ai fini par lâcher le morceau, « mon frère a tenté de se suicider il est l'hôpital ». Son visage s'est crispé on aurait dit que je l'effrayais, on aurait dit qu'elle craignait pour elle, on aurait dit qu'elle me tenait pour folle et qu'elle redoutait que cette folie ne soit contagieuse, que le malheur ne vienne la frapper à son tour. Durant six semaines après ça elle a posé sur moi ce regard méfiant, inquiet. Puis elle a été affectée à un autre poste et Astrid a pris sa place.

La chambre était nue et cachée au bout d'un couloir aux murs bleu pâle. Le bâtiment de brique rouge se planquait parmi les arbres, au fond d'un parc aux pelouses pelées, trouées par endroits, tout à fait rase au pied d'un cèdre immense. Nathan dormait, le drap blanc chiffonné à ses chevilles, vêtu d'un caleçon bleu, le corps moite et les cheveux collés à son front en mèches sombres et trempées de sueur. Sur la table de nuit s'alignaient des médicaments, une bouteille d'eau, un verre en plastique, sa montre et un roman. J'ai regardé le titre, *Le Bonheur des tristes*, sur le moment ça m'a paru de si mauvais goût, tellement complaisant, j'ai eu envie de ressortir. Je me suis assise dans le gros fauteuil en faux cuir près de la fenêtre. Tout était calme et le parc douché par une lumière limpide. Un écureuil sautait entre les branches, je l'ai observé un long moment, émerveillée comme une gamine.

— Tu dis rien aux parents… S'ils te demandent, tu dis que tu sais pas où je suis…

Nathan me fixait d'un œil trouble, la bouche molle, l'esprit embrumé. Il n'a pas pris la peine de me dire bonjour, ni de commenter sa présence ici.

— C'est gentil d'être venue.

C'est tout ce qu'il a dit, avec cette légère torsion de la bouche en guise d'excuse, cette mine de gamin désolé qui m'exaspérait autant qu'elle me touchait, cet air de dire « je l'ai pas fait exprès »… Je me suis approchée et il a attrapé ma main. J'ai vu les cicatrices, les points de suture et les fils qui dépassaient encore, je l'ai serré dans mes bras, son corps était maigre, sous la peau les os affleuraient, durs et coupants. Nathan est resté quinze jours dans cette chambre, juste avant qu'on m'appelle il en avait déjà passé huit, dont six à dormir, abruti par les cachets qu'on lui administrait toutes les trois heures. Je suis venue le voir chaque soir ou presque, jamais nous n'avons évoqué la boursouflure à son poignet, il n'y avait pas grand-chose à en dire, il avait voulu en finir et puis voilà, il avait raté son coup et reprenait des forces, il finirait par ressortir regagner son appartement trouver un boulot le perdre disparaître quelques semaines puis réapparaître, ça durerait des années entières comme ça, les silences et puis soudain, toutes les nuits pendant dix jours, les coups de fil à deux heures du matin, les séjours à la maison, se pointant à l'improviste, traînant un sac immense, revenant de Toulouse Clermont-Ferrand Strasbourg Berlin Porto Barcelone, ce qu'il allait foutre là-bas, comment il y vivait, où il trouvait l'argent pour se payer ses billets de train de bus et parfois d'avion je n'en savais rien, «je me suis débrouillé, éludait-il, t'inquiète, je me débrouille toujours, mais là, par contre, j'ai besoin que tu m'héberges». Ça reprendrait et ça ne finirait jamais, ses départs un beau matin laissant juste un Post-it sur le frigo, «merci pour tout je t'aime petite sœur embrasse les enfants», qui irritait Alain, «et moi rien pas un mot, mon whisky mes chaussettes et mes chemises qu'il me pique sans rien me demander, mon canapé et la télé qu'il squatte pendant des jours sans se soucier de savoir si des fois ça me plairait pas de me détendre tranquille dans mon salon sans sa musique de merde», ça n'en finirait jamais les lettres qu'il m'envoyait et auxquelles je ne comprenais rien, son écriture en pattes de mouche et ses formulations hermétiques, les sensations qu'il y décrivait parfois, de flottement d'absence de se tenir tout au bord tout au bord de la folie, de la promener dans les rues en la tenant en laisse comme d'autres leur chien hargneux, sans jamais savoir s'il ne va pas finir par vous sauter à la gueule et vous planter ses crocs en plein visage. Quelquefois Alain jetait un œil à tout ça, il haussait les épaules secouait la tête, il ne savait faire que ça au fond, soupirer tordre la bouche en un rictus condescendant et affligé, « il s'écoute, disait-il, une plainte vivante ce type, une vraie plaie», j'acquiesçais et je rangeais les dix feuillets à petits carreaux dans leur enveloppe. La nuit ses mots me revenaient en tête, les images bizarres qui peuplaient ses phrases tordues me filaient dans les veines et venaient s'imprimer sur ma rétine, les sensations qu'il décrivait soudain je les comprenais, je les connaissais par cœur, c'étaient les miennes exactement, celles qui me réveillaient la nuit et que je tentais de tenir en respect, d'enfouir, de nier. Ça ne finirait jamais ce gouffre qui se creusait entre nous, ce silence qui allait s'épaississant, cette manière que j'avais de le tenir à distance à mon tour, comme on craint que le malheur et la dépression ne nous contaminent, comme on se méfie de soi, de ses penchants secrets, de ses inclinations morbides de sa propre folie, du renard du chien jaune de la hyène qui nous rongent et menacent de nous anéantir.

C'est un matin de novembre, mais cela ne signifie rien ou presque. Un soleil d'automne parcourt la station, jaunit les falaises, cuit le ciel, ravive les rizières. Cela fait plus d'un mois que je suis ici, caressée par la lumière douce et chaude, protégée par les arbres. Je suis bien je crois, mieux en tout cas, même si je n'ai pas retrouvé le sommeil. Je me lève et, à la table du salon, Midori est soigneusement vêtue, parfaitement coiffée. Elle boit son café tandis que Natsume lit son courrier, les lunettes posées à l'extrême bout de son nez, barrant son visage sous le niveau des yeux. Du menton il me désigne une lettre, elle provient d'un ancien pensionnaire, il n'avait plus de nouvelles de lui depuis deux ans.

– Et comment va-t-il?

D'un geste de la main, Natsume répond qu'il pourrait aller mieux, mais aussi plus mal. Puis il me sert un grand bol de café et sourit en regardant mon visage chiffonné. Je sais ce qu'il pense. Je connais ses théories. Tout est affaire de forces à reprendre. C'est cela qu'il nous permet de faire ici.

Nous reposer. Reprendre des forces. Réfléchir. Retrouver la force de réfléchir et d'envisager les choses dans le calme, faire le tri, se délester, choisir. Et pour ça, la première chose, c'est de dormir. Ensuite il faut manger, le plus simplement possible. Puis marcher, s'asseoir et se laisser envahir. Par la lumière, les bruits, les parfums, sentir sa peau et tout ce qui la touche, l'effleure, la caresse. Respirer. Je connais sa chanson. Ses vieux trucs de moine bouddhiste. Et je sais qu'il a raison. Je sais que c'est ce dont j'ai besoin. Me délester, sentir. M'oublier, m'ouvrir. Recueillir. Laisser le soleil chauffer ma peau, l'air pénétrer mes poumons, l'eau me diluer. Sentir battre en moi un cœur régulier. C'est ce que je m'applique à faire ici. Même si je n'y parviens pas toujours. Trop souvent ça bourdonne, et le sang bout, je me sens frénétique et vibrer pour rien, une guêpe piégée par le verre à l'envers. Natsume me regarde en souriant tendrement, sans ironie, comme s'il était content de me voir, comme s'il m'aimait. Nous avons un peu parlé ces derniers jours lui et moi. Ces dernières nuits, devrais-je dire. Et plus je passe de temps auprès de lui et plus les choses s'obscurcissent, plus Natsume me semble impénétrable, surface lisse à laquelle on se heurte sans violence. On dirait qu'un lac immense et calme se déploie à l'intérieur de lui, des étendues fluides, lumineuses et souples. Dans ses paroles il n'est question que de lumière et d'arbres, de patience, de l'instant et de la sensation, du monde et de ce qu'il offre, de temps de lenteur de détails de surfaces de soleil de peau de souffle d'horizon de transparence, ses mots ne disent rien d'autre que la présence entière et délivrée à l'ici et au maintenant qui est notre seul horizon, une présence réconciliée au monde aux autres et à soi, aux arbres aux rayons du soleil à la terre à l'eau à la nuit aux parfums, une présence paisible et bienveillante. Un putain de moine bouddhiste. Rien ne l'altère, rien ne le fissure, à part peut-être le départ d'Haruki. C'était avant-hier et nous dînions tous les trois, Midori avait préparé le repas et rayonnait de nous voir nous régaler de ses tempuras de maïs. Haruki avait éteint les lampes, allumé une dizaine de bougies vêtues d'aluminium. Ils ont tambouriné à la porte. Cinq coups secs et mats, puissants, effrayants. Nous nous sommes regardés tous les quatre, muets, interdits. Pour la première fois depuis mon arrivée ici j'ai senti la peur comprimer ma poitrine, j'ai craint autre chose que moi-même. Natsume nous a fait signe de ne pas bouger. Il s'est levé, a rallumé les lumières. Puis il a rajusté ses lunettes sur son nez et s'est dirigé vers la porte. D'une voix mal assurée il a demandé qui frappait. Je n'ai pas compris la réponse, la porte s'est ouverte et six flics en uniforme ont fait irruption dans le salon. Midori a attrapé ma main et l'a serrée sous la table. Aucun de nous n'a bougé, nous sommes restés assis à les regarder discuter avec Natsume. Ils paraissaient gênés de se trouver là, face à lui, certains d'entre eux avaient dû servir sous ses ordres quelques années plus tôt, tout le monde le connaissait par ici, tout le monde le respectait, tout le monde l'aimait je crois. Haruki n'a pas tenté de fuir. Il s'est levé et a tendu ses poignets pour qu'on les menotte. Natsume l'a regardé faire sans un mot, sans un geste. Les flics nous ont salués, Haruki nous a lancé un sourire désolé, ils ont quitté la pièce et ce fut tout. Rien de tout cela ne paraissait réel. Natsume s'est rassis, hagard, abasourdi. Le silence pesait des tonnes, nous clouait au sol.

— Qu'est-ce qui se passe ? a demandé Midori.

— Eh bien tu as vu comme moi. Ils l'ont emmené.

— Qu'est-ce qu'il a fait ?

— Il a tué ses parents.

Le visage de Natsume semblait figé par la stupéfaction, l'incrédulité. Il s'est servi un verre de saké, puis deux autres. Après quoi il s'est remis à manger comme si de rien n'était. Tout juste s'interrompait-il parfois, entre deux bouchées, l'air égaré, secouant la tête dans le vide. Tout cela était si absurde. Pendant plus d'un mois nous avions partagé nos jours et nos nuits avec un gamin taciturne et renfermé, qui ne cessait de dessiner, de me croquer sous toutes les coutures. Un gamin auquel il était quasi impossible d'arracher le moindre mot, mais qui avait l'air doux et terrifié. Et voilà qu'il fallait faire coïncider cette image avec celle d'un assassin, voilà qu'il fallait l'imaginer entrer dans la chambre de ses parents pendant leur sommeil et les abattre froidement. Deux balles en pleine tête. C'est ce que répétait Natsume pour lui seul, les yeux vides, comme on essaie malgré tout de donner un sens à ce qui n'en a plus. J'ai posé ma main sur son avant-bras. Il a sursauté et m'a lancé un regard perdu. Pour la première fois c'est lui qui demandait de l'aide, un secours, des réponses.

Aujourd'hui c'est le grand jour. Midori va reprendre le travail. Natsume lui a trouvé un job de vendeuse au Lawson, il m'a demandé de l'accompagner et de venir la chercher chaque soir, pendant sa première semaine.

– Ça ne te dérange pas ? Tu aimes tellement te promener de toute façon. Ça te fera deux occasions de plus de prendre l'air.

J'avale mon café et nous sortons dans le jour déjà clair. Midori porte une jupe et une veste beiges sur un chemisier blanc rayé de bleu. Elle est allée chez le coiffeur, s'est maquillée. En quelques jours elle s'est métamorphosée, qui pourrait reconnaître en elle la femme sauvage et déchirée qui se cachait dans cette maison il y a quelques semaines encore ? Elle inspire profondément. L'air est tiède et fumé par l'automne. Partout on ratisse des feuilles humides, couleurs mélangées rassemblées en tas sur les bas-côtés. Le soleil éclabousse la mer, de son lever ne subsistent qu'un trait de ciel rose pâle et quelques lambeaux ivoire. Nous passons le torii de pierre, pénétrons dans le sanctuaire, exécutons les gestes rituels. Midori est concentrée à l'extrême, elle garde les yeux fermés et, tandis qu'elle prie, anime ses lèvres en brefs soubresauts. Quand elle a fini je la prends par l'épaule et la serre entre mes bras. J'ignore comment elle fait, où elle puise cette force. Comment elle tient encore debout. À sa place je serais en pièces, me dis-je. J'ai tant d'admiration pour ceux qui se relèvent. Alain se moquait de moi pour ça, « au fond tu admires tout le monde, disait-il… Parce que tout le monde se relève de tout, tu sais. Enfin presque tout le monde. Tout le monde n'est pas là à se regarder le nombril et à geindre comme ton frère. Oui les gens souffrent, se relèvent et continuent, c'est la règle. – Alors tant pis, lui répondais-je, j'admire des gens communs, normaux, banals, sans qualité ni courage. Tant pis, je suis une gourde, j'aime les gens. Je m'en contenterai tu sais ». Je prononçais ces mots par provocation bien sûr, pour l'irriter, mais aussi parce qu'ils étaient vrais : la plupart des hommes et des femmes que je croisais dans la rue me semblaient admirables, qu'ils se lèvent chaque matin enfilent leur tailleur leur costume leur bleu de travail leur uniforme me semblait admirable, qu'ils se rendent à leur bureau dans leur usine, mènent cette vie-là et tiennent bon me semblait admirable, qu'ils s'occupent de leurs enfants du quotidien de leurs proches me serrait le cœur, je ne les connaissais pas mais je devinais en eux des blessures, une fatigue, des failles qui me bouleversaient. Leur capacité de résistance m'épatait, leur foi en l'avenir m'émerveillait, la vie me paraissait si dure et menaçante, si violente, coupante et acide, j'avais tout fait pour m'en protéger mais au fond je demeurais cette petite fille rongée par la peur qui se cachait dans la forêt et se lovait contre son frère, priant pour qu'on l'oublie et que les bombes tombent ailleurs.

Midori s'écarte et notre étreinte se dénoue. Du revers de la main elle essuie ses yeux, dans son miroir gainé de coton fleuri orange et vert vérifie l'état de son maquillage et nous nous remettons en marche, longeons la mer placide et grise, à peine ridée par le vent, croisons des écoliers en uniforme et riant pour un rien, agités et sérieux. Les regardant je ne peux m'empêcher de penser à Romain, à Anaïs, je ne peux empêcher mon cœur de se tordre, je voudrais tant entendre leur voix, les regarder vivre, je voudrais tant sentir leur présence dans mes parages. Je ne peux m'empêcher de penser à ça et pourtant, toutes ces années, à mes côtés ils me manquaient. Déjà ils me manquaient.

Le Lawson se niche dans une rue retirée du rivage. Le vent s'y engouffre même quand il ne souffle qu'à peine. Une odeur de marée s'y propage, plus soutenue que sur la plage. Aux abords du magasin où l'on vend à peu près tout elle se dilue dans le parfum fade du bouillon où patientent boulettes de viande et raviolis, tofu frit, œufs et quartiers de daikon. J'ai souvent marché dans cette rue, poussée par un souffle salé, les yeux brûlés, elle file jusqu'aux montagnes, laisse la ville dans son dos, traverse les champs, les rizières, se cogne à douze cèdres gigantesques, à des milliers de marches s'élevant vers le sommet, bordées d'autels rouges et de bouddhas, de lanternes et d'animaux sculptés, grimpant vers la lumière dans un silence gorgé d'eau, de bois et d'oiseaux. Là-haut le ciel est si net et brillant, illumine un horizon de soie bleu et de velours, ondoiement de conifères en vallons intacts. Là-haut le ciel est si pur qu'il vous inonde et vous boit, vous arrache le cœur et vous le rend net, propre et lessivé. Nous sommes en avance. Midori mange ses ongles et mâche des bouts de peau tendre. Je lui souris, lui répète que tout va bien se passer, que je suis là, avec elle. Nous entrons dans le café voisin, nous installons près de la fenêtre, commandons deux cafés au lait. Au fond de la salle, une poignée d'adolescentes chahutent. Parmi elles, Hiromi m'aperçoit, se lève et vient m'embrasser. Elle fouille dans la poche de sa veste, en sort une enveloppe et me la tend. J'ai les doubles, précise-t-elle avant de rejoindre ses camarades. Au moment de quitter le café, elles effectuent toutes les mêmes gestes : descendent leur jupe de quelques centimètres, reboutonnent leur chemisier, se recoiffent. Je laisse un billet sur le comptoir et nous entrons dans le magasin. Dans ma poche, l'enveloppe est chaude, elle ne brûle pas mais je la sens, elle vibre, j'ignore ce qu'elle contient, je sais juste que Nathan s'y love, d'une manière ou d'une autre. Midori se dirige vers le comptoir, le patron est là, l'attendait, la salue. Elle s'incline et sourit, timide et soumise, sérieuse et appliquée. Je la regarde et je me demande de nouveau où est le père de l'enfant, comment il s'en sort de son côté, pourquoi il n'est pas avec elle, pourquoi quand la mort frappe ceux que nous aimions avec une semblable force, leur absence et le puits sans fond qu'elle fore sont à ce point impartageables, pourquoi toute consolation mutuelle est à ce point inenvisageable, insupportable même. D'un signe Midori me signifie que tout va bien maintenant, que je peux y aller. Elle semble rassurée, prend place derrière la caisse, tout près d'une vitrine où tiédissent des brioches fourrées de viande hachée. Les odeurs de nourriture m'écœurent, je quitte le magasin la nausée au ventre, regagne la promenade où glissent des nuages magnétiques. Sur les falaises allumées quelques badauds tutoient le vide, d'ici ils semblent au bord de tomber, en équilibre précaire. Là-haut il doit les surveiller, ce matin il semblait inquiet, quelque chose dans la texture de l'air l'a alerté au réveil. Quand nous avons quitté la maison, il était sur le point de partir. Hier encore il a «sauvé» l'un d'eux, un type obèse, furieux et paniqué, qui s'est débattu quand il lui a touché l'épaule, s'est mis à gueuler quand il lui a demandé de le suivre : de quoi se mêlait-il, pour qui se prenait-il, que savait-il de lui, de sa vie? Rien. Rien de rien. Alors qu'il aille se faire foutre. Le type avait fui en hurlant ses insultes, tournant le dos aux falaises, regagnant le sentier, en costume et la mallette à la main. Cela arrivait parfois. Et au fond je m'étonnais qu'il puisse en aller autrement.

Le temple est désert. Au milieu du jardin immobile, le pin rayonne et je me cale sur son rythme lent et profond, sa pulsation bienveillante. Dans mon dos, une vieille femme, un homme entre deux âges et une jeune fille qui devrait sans doute être au lycée à cette heure prient les yeux clos, dans la lumière diagonale. Je n'ai pas besoin de toucher pour éprouver l'humidité douce de la mousse, la chaleur rassurante des pierres chauffées par le soleil, le velours usé du lichen, le friable d'une écorce presque rouge. Je les sens sous mes doigts, disponibles, offerts. Ils me délestent, m'allègent, m'égalisent. J'ouvre l'enveloppe, ce sont des photos, il doit y en avoir une vingtaine, je les dispose côte à côte, Nathan y apparaît le plus souvent barré d'un sourire immense, les yeux fiévreux, prêt à s'allumer à la moindre étincelle, inflammable. Sur plusieurs d'entre elles on reconnaît Natsume et Hiromi, sur la dernière Nathan se tient face au vieux pin, agenouillé sous la véranda, en lisière de la salle de prière, ainsi que je le suis en ce moment même. Des larmes coulent sur mon visage. Calmement. C'est le goût du sel dans ma bouche qui m'a alertée. Je ne les ai pas senties venir.

Je regarde ces photos et, d'image en image, Nathan s'y révèle tel que me l'avait décrit Louise à son retour du Japon, tel qu'il voulait redevenir en s'y rendant avec elle et l'enfant qu'elle portait. Je contemple ces photos et je crois ne jamais l'avoir vu aussi vivant, lumineux que là, figé sur le papier. Je reconnais son exaltation, son corps sec et tendu, ses yeux brûlés par l'alcool, sa fièvre, la sueur à ses tempes, sa détresse, son égarement, cette folie dans son regard, je reconnais tout bien sûr mais il y a aussi, dans ces images, quelque chose d'inédit, de vibrant, de neuf. Je range les clichés dans leur enveloppe, je voudrais voir apparaître Nathan et lui ouvrir le crâne, lui faire cracher le fin mot de l'histoire, je voudrais retrouver la boîte noire, reconstituer l'accident, la voiture lâchée contre le platane à pleine vitesse, savoir à quoi il pensait à ce moment précis, savoir s'il a enfoncé la pédale en hurlant, s'il a manqué de réflexe, s'il avait bu, s'il s'était endormi. Je voudrais savoir mais qu'est-ce que ça change, il est mort et je suis là, dans ce pays qu'il a aimé, où il a été sans doute plus heureux que nulle part ailleurs, où après avoir touché le fond il était remonté à la lumière, où il voulait vivre son amour et voir grandir son enfant, et tout ça n'a aucun sens, rien ne s'imbrique, sa mort et son enfant, Louise et le Japon, rien ne tient je m'en rends compte, on ne se tue pas pour un manuscrit refusé, même quand on a tout sacrifié pour ça, même quand on entend de ceux qui vous lisent je n'aime pas ce texte je ne vous aime pas, même quand personne n'a jamais cru en vous, même quand on a un tel besoin d'amour, impossible à rassasier, si grand qu'il aurait fallu l'amour de la terre entière pour seulement commencer à l'épuiser. Nathan avait un tel besoin d'amour, une telle soif, il m'aimait tellement, il aimait tellement Clara, il aimait tellement les parents qui ne donnaient rien en retour ou si peu, de l'attention du temps de l'argent mais non pas d'amour ni de tendresse, il aimait tellement chaque personne qu'il croisait, son amour était envahissant, baveux, encombrant, dérangeant, personne ne savait quoi en faire, il y en avait trop on finissait par le lui rendre et par s'enfuir. Je me lève et Nathan me poursuit, ses bras m'agrippent et s'accrochent à moi, je vois ses yeux de loup ses cheveux secs et son corps maigre, je le vois torse nu grimper dans les arbres d'un parc, je le vois danser la nuit les yeux au ciel à deux doigts des flammes, je nous revois dans ces bars africains où il m'entraînait parfois, rue du Château-d'Eau à Barbès à Belleville enfin nous nous sentions chez nous, enfin nous arrivions à respirer, je le revois debout sur le parapet du Pont-Neuf les bras en croix par-dessus la Seine, un autre jour s'y baigner tandis que je tiens ses vêtements dans mes mains et patiente sur la berge boueuse. Je le revois enfant et nous sommes planqués sous le bureau, dans l'escalier claquent les pas de notre père, il vient nous foutre la trempe qu'il nous promet depuis deux heures si on ne cesse pas immédiatement de chahuter, je nous revois les yeux collés à la vitre de l'appartement, de l'autre côté les feux des bagnoles les voies ferrées les immeubles et sa voix qui dit «on va se tirer d'ici on suivra les réseaux les lignes les lumières, on filera comme des étoiles jusqu'à la mer». Je le revois marcher le long des falaises, leur blancheur aveuglante, dans nos dos la tente et le sac, on a pris un train le premier n'importe lequel, avec l'argent gagné au marché on a payé le billet, on marche toute la journée on se baigne à poil on dort gelés serrés l'un contre l'autre on boit du mauvais rhum au goulot on bouffe n'importe quoi il pleut tout le temps on est heureux, putain ce qu'on est heureux les pieds dans les algues les chevilles tordues dans les galets les cuisses griffées par les mûriers les ajoncs frôlées par les fougères, on suit la côte on prend des bus des voitures on plante la tente dans un champ un jardin une plage protégée du vent, la mer nous engouffre nous noie nous absorbe on est heureux, dans son ventre sa vibration son battement on est heureux, on a dix-sept ans on est heureux on n'a plus peur de rien.

Je suis rentrée du temple comme une somnambule, je ne me souviens pas de mes pas dans les ruelles, de mon entrée dans la maison, je ne me souviens pas de m'être écroulée sur le futon, de m'être endormie en plein jour sans avoir fermé les volets ni tiré les rideaux. J'entends des bruits au rez-de-chaussée, l'odeur du café s'étend dans le couloir, deux voix froissent le silence. L'une d'elles m'est familière, c'est celle de Natsume. L'autre appartient à un homme sans rides mais plus si jeune, il doit avoir mon âge, porte un costume sombre sur une chemise bleu ciel et une cravate. Dans ses mains il tient une mallette, on dirait qu'elle l'encombre, qu'il ne sait pas s'il doit la poser ou non. Tout dans son attitude évoque l'embarras, la timidité, la soumission. Quand son regard me croise, il me salue d'un mouvement de tête poli, agrémenté d'un bonjour dont les syllabes se serrent les unes contre les autres sans jamais se bousculer ni se confondre.

— Nous avons un nouveau pensionnaire, plaisante Natsume. Il va prendre la chambre d'Haruki.

Nous nous asseyons autour de la table, je suis encore engourdie par le sommeil, molle et détendue, comme sortant d'un bain brûlant. L'homme boit à minuscules gorgées, remercie Natsume pour chacune d'entre elles. Puis il se rend dans sa chambre. Natsume lui tend de quoi se faire un lit et quelques vêtements plus décontractés. Parmi eux, un tee-shirt qui appartenait à Nathan, noir barré d'une inscription blanche proférant «Je ne suis plus là». Je l'avais vu le porter tant de fois, ces mots sur sa poitrine me terrifiaient. Surmontés par son visage à la fois creusé et bouffi, ses yeux de chien fou, ils prenaient un sens si précis que des larmes venaient se bousculer sous mes paupières tandis que je les relisais une fois encore, Nathan endormi en pleine lumière sur le canapé, suant à grosses gouttes, agité jusque dans son sommeil, crevant à petit feu d'un mal indéfinissable. Natsume ferme la porte sur son protégé et me rejoint, les traits tirés, usé par ce qu'il vient d'accomplir. Je lui demande s'il lui est arrivé d'échouer. D'échouer sans être arrivé trop tard. S'il lui est arrivé de voir un homme ou une femme sauter sous ses yeux, s'écraser en contrebas. Natsume ne répond pas, détourne le regard un instant, soupire puis me sourit faiblement.

— C'est quoi son problème, à lui? Qu'est-ce qu'il faisait là-haut?

— Et toi? C'est quoi ton problème? Qu'est-ce que tu faisais là-haut?

Natsume a dit ça d'une voix ferme, sans se défausser, les yeux dans les yeux. Il n'y a rien d'agressif chez lui.

– Il a perdu quelqu'un. Il ne m'en a pas dit plus. Mais ce n'est pas à toi que je vais apprendre que ça n'explique rien.

Natsume se lève et regarde par la fenêtre. Une bruine s'échappe d'un ciel bas effiloché de brume. D'ici, même si on ne les voit pas, on devine les falaises prises dans le coton.

– Je n'aime pas ça, dit-il. Ce sont les jours les pires. Certains meurent sans que personne les voie tomber. La marée les emporte. On retrouve leur corps plus loin sur la côte.

L'homme revient dans le salon, vêtu d'un jean et du tee-shirt de Nathan. Il est blême et choqué. Surpris d'être en vie, d'être ici, de nous voir Natsume et moi, attablés sirotant du thé vert. Égaré et timide il nous rejoint. Natsume pose sa main sur son épaule et ça semble le calmer. Je les laisse, je suppose qu'ils ont besoin de parler, je vais marcher dans le crachin, contempler la mer fondue au ciel, les falaises un peu troubles. Je me rends aux cabines, j'appelle à la maison et il n'y a personne, j'appelle au bureau d'Alain et il n'y a personne, j'appelle les portables des enfants et personne ne répond, j'appelle ma sœur et elle est furieuse, elle me crie dessus, me reproche de l'avoir laissée sans nouvelles, de n'avoir pas appelé les parents qui s'inquiètent, me reproche d'être partie, d'avoir laissé tout le monde, mon mari désarmé, mes enfants perdus.

— Tu parles, ils s'en tirent très bien sans moi. Tout le monde s'en tire très bien sans moi. Que je sois là ou non ça ne fait aucune différence.

— Qu'est-ce que tu racontes? Et d'abord qu'est-ce que tu fous là-bas?

— Du tourisme.

— Arrête tes conneries.

— Je me repose.

— Arrête tes conneries.

— Je ne sais pas ce que je fais. Tu savais que Nathan avait passé du temps au Japon? Qu'il comptait s'y installer prochainement?

Je fonds en larmes, j'ai des sanglots dans la bouche et, à l'autre bout du fil, ma sœur ne dit rien. Et moi, est-ce que je sais que j'ai un mari, des parents, des enfants, une sœur, est-ce que je me soucie de quelqu'un d'autre que moi, est-ce que je me soucie de savoir qu'Anaïs se ronge les sangs pour moi, que Romain a foiré tous ses contrôles ces derniers temps, est-ce que je sais seulement qu'Alain est sur le point de venir me chercher? Est-ce que je sais seulement que Nathan n'est plus là? Ni au Japon ni ailleurs, que c'est trop tard. Trop tard pour tout. Pour se reprocher de n'avoir pas été là quand il le fallait, de ne pas l'avoir connu soutenu aimé assez.

— Trop tard il n'y a plus rien, dit-elle. Plus rien. Il faut s'occuper de ceux qui restent.

— Et moi qui s'occupe de moi ?

— Ton mari. Tes enfants. Moi. Et puis merde, arrête de ne penser qu'à ta gueule.

— Tu savais que Nathan avait une copine, qu'il allait être papa ?

— Oui.

— Quoi ?

— Oui. Qu'est-ce que tu crois ? Il me parlait à moi aussi. Je sais que ça t'étonne. Je sais que tu t'es toujours sentie propriétaire de lui. Que tu as toujours cru être la seule à pouvoir le comprendre, à l'aimer vraiment. Seulement ma pauvre, il n'y a pas d'amour, juste des preuves. Et les derniers temps, des preuves tu n'en donnais plus tellement. Les derniers temps tu l'évitais, tu biaisais. Qu'est-ce que tu crois ? Qu'il ne sentait rien ? Qu'il ne sentait pas comme il t'encombrait ? Alors oui les derniers temps il m'invitait chez lui, et oui il m'a présenté Louise, et oui il m'a dit qu'elle était enceinte. Et il m'a demandé de ne rien te dire…

Je raccroche. Je ne la laisse pas finir je raccroche, je sors du bureau de poste et il pleut des cordes. Je marche sous la pluie je suis trempée, sur la plage la mer bouillonne invisible, près du distributeur de boissons il est là, sous la véranda une cigarette coincée entre les lèvres il me regarde m'avancer vers lui, la robe collée à la peau, il me sourit me dit d'entrer me tend une serviette et me sèche comme une noyée. Il fait ça avec ses gestes de peintre, des gestes minuscules et soigneux, il applique la serviette sur mes cheveux, mon visage, tandis que je déboutonne ma robe, retire mes sous-vêtements. Il tamponne mon cou, mes épaules, mes seins, mon ventre, mes jambes puis il m'embrasse, colle ses lèvres à tous ces endroits de ma peau. Il finit par mon sexe puis revient à ma bouche, l'haleine chargée de tabac de pomme et du goût de ma chatte. Il est nu et maigre, un sac d'os que relient des muscles fins et longs. Son sexe est brun et étroit, dans ma bouche il est fade et dur comme une pierre, la peau est si fine qu'elle pourrait se déchirer. Entre mes cuisses il va et vient avec une lenteur presque insupportable, d'abord je ne le sens qu'à peine puis il me remplit comme s'il gonflait encore à l'intérieur de moi, se propageait dans mon ventre, comme si l'homme entrait tout entier, se faufilait, je ne sens plus son poids sur moi, je sens son poids à l'intérieur de moi. Après qu'il a joui nous nous endormons sur les tatamis, un drap troué nous recouvre, la pluie sur le toit produit un cliquetis mat, dégouline des gouttières, se dilue dans la mer, le monde n'est plus qu'une rumeur océane, une grande peau glissante et silencieuse.

C'est ma dernière nuit ici. Je l'ai dit à Natsume, il a hoché la tête, m'a gratifiée de ce sourire plein de bonté que je sais sans trucage, un sourire franc qui vous réchauffe et vous accompagne. Je l'ai dit à Midori aussi, nous marchions dans les rues luisantes de pluie, sous un ciel à la fois noir et lumineux où s'électrisaient des halos jaunâtres. Sa première journée s'est déroulée sans encombre, elle se sent bien à la caisse de la supérette, elle dit qu'elle se sent protégée. Nous avons fait des détours avant de rentrer, parlé de nos vies respectives, la sienne avait longtemps été simple, un peu grise, sans nuage ni soleil, sans caresse ni brûlure, mais c'était une vie à sa mesure, qui lui convenait. Elle avait rencontré Ryu à la fac, elle étudiait les beaux-arts et lui le commerce, ils s'étaient mariés et l'enfant était venue dans la foulée. Ryu était doux, sérieux, fiable. Un bon mari. Bien sûr il rentrait tard, passait ses soirées à manger et à boire avec ses collègues, il finissait toujours ivre et débraillé à beugler des chansons paillardes, mais elle comprenait ça. Il fallait tellement prendre sur soi toute la journée au travail, tellement toujours tout retenir, tout mesurer, personne ne tenait longtemps comme ça, il fallait des soupapes. Le saké, le pachinko, les putes, tout cela elle comprenait. Elle aimait veiller le soir, l'attendre dans la maison paisible et chaude, saturée de nuit, lui ouvrir la porte et le mener jusqu'à son lit, lui ôter ses chaussettes, sa chemise son pantalon, le border essuyer son front humide et l'entendre ronfler près d'elle. Elle s'endormait bercée par sa respiration lourde, enlaçant la petite qui toujours dormait entre eux. C'était une vie menue, modeste, sans histoires, mais ça lui allait. Elle aimait tant s'occuper de la gamine, c'était une enfant joyeuse, légère et drôle. Chaque mot, chaque regard la faisait fondre. Après l'accident tout était devenu atroce, elle pleurait hurlait vomissait du matin au soir, tandis que lui avait l'air terriblement solide, affecté mais encaissant le choc, faisant face. Au fond elle s'était mise à le détester pour ça. Elle le haïssait de ne pas s'effondrer, de retourner au travail, de manger, de respirer, de survivre. Elle avait fini par quitter l'appartement pour la maison de ses parents avant de venir ici. C'étaient des gens aimants et attentifs mais dépassés par la douleur de leur fille, son refus d'être consolée, son refus d'être apaisée. Au bout d'un moment, elle s'était sentie vide et sèche. Elle ne pleurait plus. Ne criait plus. Ne parlait plus. Elle n'avait plus de force pour le chagrin. Plus de force pour rien. Elle n'était plus qu'une peau sur des os. C'est dans cet état qu'elle avait pris un train pour ici et qu'elle était montée aux falaises. C'est dans cet état qu'elle se sentait maintenant, elle avait juste accepté de tenter de vivre encore, elle ne sentait plus rien, elle était au-delà de la douleur, dure, impénétrable : une coquille vide, un automate. Mais elle était vivante. Au nom de quoi elle n'en savait rien. Est-ce que ça avait encore un sens ? À cette question Natsume avait répondu non, il n'y a pas de sens, il y a juste la vie, et il faut la vivre. Comme une plante vit. Comme un animal vit. Inspirer, expirer. C'est tout.

Nous avons dîné tous les quatre, Midori tombait de fatigue, le nouveau pensionnaire aussi, il la fixait et elle esquivait son regard, quelque chose d'étrange circulait entre eux, qui figeait l'air, nous réduisait au silence. J'ai pensé qu'elle allait me manquer. Natsume, non. Pas vraiment. Parce qu'il me semblait que partir d'ici n'était pas le quitter, parce qu'il me semblait que partout où j'irais, son regard m'accompagnerait, et son sourire. Je les ai laissés dans les lueurs tamisées de la maison, je suis montée jusqu'à la pension, Hiromi feignait de se coucher, elle allait redescendre dans quelques heures, un Français venait d'arriver, elle l'avait abordé sur la plage, il avait une trentaine d'années et se disait photographe. Je lui ai dit de se méfier et elle a haussé les épaules :

— Des Français ou des photographes ?
— Des deux.

Avant de la quitter, j'ai sorti une montre de ma veste, je l'avais trouvée deux heures plus tôt dans le placard où Natsume entreposait des vêtements pour ses protégés, la plupart arrivaient sans rien ou presque, qu'auraient-ils emporté avec eux au moment de se jeter du haut des falaises? Nathan avait dû l'oublier, à moins qu'il n'ait voulu en faire don à Natsume, en remerciement. Quoi qu'il en soit je l'avais fourrée dans ma poche, après tout c'était moi qui l'avais achetée, offerte à Nathan pour un Noël ou un anniversaire, l'un des derniers sans doute, à une période où je m'étais déjà suffisamment éloignée de lui pour choisir ce genre de cadeau, impersonnel et inutile. Hiromi l'a acceptée, je l'ai vue la ranger dans un tiroir où s'entassaient des photos, un briquet, un bracelet de corde, des feuilles griffonnées. Une somme de minuscules trésors liés à Nathan, qu'elle conservait pieusement. Hiromi m'a raccompagnée jusqu'au seuil de la pension.

— Je peux te poser une question?

— Oui.

— Natsume. Tu sais quelque chose sur lui?

— Pourquoi je saurais?

— Parce que tu sais tout ici, j'ai l'impression.

— Et qu'est-ce que tu voudrais savoir?

— Il n'a pas de famille?

— Si. Il a eu une femme. Elle est morte d'un cancer. Elle avait cinquante ans.

— Pas d'enfant ?

— Si. Une fille. Elle ne vient pas souvent. Elle vit à Tokyo. Je crois qu'ils ne se sont jamais bien entendus. Mais elle ne s'est jamais suicidée ni rien de ce genre, si c'est à ça que tu penses…

Je l'ai remerciée et pour la dernière fois j'ai descendu le chemin parmi les bambous, la mousse, les fougères, les singes endormis, les corbeaux muets. Il n'y avait plus de cigale mais d'énormes toiles d'araignées noir et jaune s'accrochaient aux arbres et barraient le chemin, s'agrippaient à mes cheveux, se collaient à mes yeux, mon nez, ma bouche. Une dernière fois j'ai longé la mer, rôdé aux abords du bar, regardé le distributeur scintiller dans la nuit noire. Une dernière fois j'ai longé des maisons de bois, d'autres crépies et munies de toits en quinconce, d'avancées, de vérandas, de galeries, coiffées de tuiles brunes et courbes, reliées entre elles par de lourdes grappes de fils électriques barrant la ruelle en tout sens, à hauteur de moineau. Une dernière fois je suis rentrée chez Natsume, j'ai ôté mes chaussures suspendu ma veste, posé mes pieds nus sur la paille de riz, regardé autour de moi, la table basse où s'attardaient les restes d'une fin de repas, le désordre rassurant près du bureau où bourdonnait l'ordinateur diffusant sa lueur pâle et tremblotante. Natsume est entré sans bruit, souple comme un chat. Nous nous sommes assis et il m'a servi un verre de saké, il en avait déjà bu pas mal si l'on en jugeait par la taille de ses yeux rieurs, réduits au minimum, deux traits fendant la peau d'un visage carré et poncé par les embruns.

— Est-ce que vous avez déjà voulu mourir, vous ? lui ai-je demandé.

Il n'a pas paru surpris par ma question.

— Non. Jamais.

— Même quand votre femme est morte.

— Ça m'a traversé l'esprit, mais je n'y ai jamais songé sérieusement je crois. Je me suis imaginé le faire plein de fois, comme tout le monde, mais jamais sérieusement. Et toi c'est pareil. J'ai posé ma main sur ton épaule mais tu ne l'aurais jamais fait.

— Qu'est-ce que vous en savez ?

— Je le sais.

— Ça fait des jours entiers que je suis là et je ne sais pas qui vous êtes, pourquoi vous faites ça.

— Tu sais qui je suis. Je suis tel que tu me vois chaque jour. Je suis sans secret. Il y a des gens sans secret tu sais. Et puis : est-ce vraiment important, qui je suis ? Ce n'est pas ce que tu es venue chercher ici, n'est-ce pas ?

— Et que suis-je venue chercher ?

— Ça, je pense. Entre autres choses. Mais il ne reste plus rien de lui, ici. Si quelque chose reste de lui, c'est ailleurs.

De la poche arrière de son jean il sort une enveloppe. Je reconnais son écriture. Minuscule et recroquevillée, mal foutue. Je la prends et ma main tremble, et mes yeux tremblent, et tout mon corps tremble.

— Vous êtes sûr?

— Prends-la. La traduction est là, dit-il en me désignant le buffet. C'est fou. C'est fou ce que tu lui ressembles. Les yeux surtout. Leur inquiétude. J'ai mis du temps à comprendre. Et puis Hiromi est passée me parler.

Natsume me ressert un verre de saké. Il m'écoute lui raconter la mort de Nathan, le peu que j'en sais, ce que j'en suppose, les temps qui ont suivi, Louise et l'enfant qu'elle porte, leur décision de s'installer ici. Natsume acquiesce, il savait tout ça, à part la mort de Nathan il savait, c'est dans la lettre que je tiens entre mes mains, tout le monde savait à part moi. L'avais-je à ce point abandonné? Nous étions-nous éloignés à ce point l'un de l'autre? Comment était-ce possible? Comment en étions-nous arrivés là? C'est à son tour de parler, maintenant: quand Nathan était arrivé dans la station, avec son sac à dos, ses vêtements africains ses cheveux ras ses canettes de bière ses yeux de fou, il n'était pas passé inaperçu. Il était au Japon depuis un mois, Tokyo Kamakura Osaka Kyoto Kobe Hiroshima il avait échoué là en longeant la côte, logeait à la pension mais n'y passait que très peu de temps, dès le lever du jour il était sur la plage, torse nu, épaule et bras tatoués de rouge et noir, à boire à courir comme un forcené, à boxer dans le vide, dormait un livre usé ouvert sur le ventre,

parlait à tout le monde, riait comme un dingue, semblait sur le point de pleurer en permanence. Souvent on
le voyait monter sur les falaises, sauter comme un cabri,
ivre mort il frôlait le vide, ou bien restait prostré, le visage
immobile, les yeux durs, d'un bleu si froid, effrayants.
Hiromi le collait du matin au soir, il était gentil avec
elle, comme il était gentil avec le type du distributeur,
ils passaient des après-midi entières à boire ensemble, à
regarder des programmes débiles à la télévision, à fumer
de la marijuana. Nathan noircissait des carnets pendant
que l'autre peignait, ils se parlaient peu mais ils s'aimaient
bien. Natsume l'avait récupéré là-haut un de ces jours
de pluie et de brouillard, une brume épaisse s'accrochait
aux parois rocheuses, quand il l'avait rattrapé Nathan
s'était débattu, il avait dû le ceinturer, Nathan était furieux
avait tenté de le frapper avait hurlé. Natsume avait fini par
le convaincre de le suivre, Nathan l'insultait mais le suivait
quand même. Arrivé à la maison Nathan était plus calme
mais ses yeux brillaient. Natsume a touché son front il
était brûlant, il a fait venir un docteur. Nathan avait une
forte fièvre et les poumons infectés. La première semaine
il a dormi, pris ses médicaments. Il suait tant qu'il fallait
changer ses draps toutes les douze heures, il toussait et
crachait du sang, parlait à voix haute et pour lui-même.
Natsume dit qu'il m'appelait, qu'il réclamait sans arrêt
une certaine Sarah, à l'époque il ignorait qui j'étais, plus

tard Nathan lui a parlé de moi, d'une manière étrange, ainsi qu'on parle d'une personne qu'on a aimée jadis et dont on a perdu la trace à tout jamais. « Je ne devrais pas te le dire mais pendant quelque temps, avant que Nathan ne me détrompe, j'ai pensé que tu étais morte. » Ce sont ces mots que prononce Natsume, il les prononce non pas pour me faire mal mais parce qu'ils sont la vérité, parce qu'il sait que c'est cela que je veux entendre, la stricte vérité. Il poursuit, Nathan s'est remis peu à peu, Hiromi et le type du distributeur lui rendaient souvent visite, ça finissait dans des parties de poker méchamment alcoolisées, Nathan semblait mieux, reposé, il passait beaucoup de temps à s'occuper des autres pensionnaires, à l'époque ils étaient trois en plus de lui, un quadragénaire usé jusqu'à la corde par son boulot, un professeur à la retraite et une gamine d'à peine vingt ans, perdue, sauvage, mutique et butée. Nathan avait récupéré une guitare, leur jouait des chansons, leur apprenait des rudiments de français, tentait d'acquérir quelques bases de japonais. Il est resté presque un mois, dormait beaucoup, buvait moins, marchait de longues heures au milieu des arbres, s'allongeait au pied des bambous, s'endormait parfois dans les fougères. Il passait plusieurs heures par jour au temple, dans la salle de prière face au vieux pin, il avait sympathisé avec le prêtre, un petit homme aux lunettes rondes, crâne rasé et léger embonpoint, un sourire constamment fiché au milieu du visage. Que pouvaient-ils bien se dire, Natsume n'en avait pas la moindre idée, à ce qu'il en savait l'anglais du prêtre était plus que rudimentaire et il ne parlait pas un mot de français. Puis Nathan avait fini par partir, il avait repris son sac à dos, le train pour Kyoto où il avait séjourné trois semaines encore, dépensant jusqu'au dernier yen, ne gardant que le prix du billet pour rentrer à Paris. Il appelait chaque jour, tenait Natsume informé du déroulement de ses journées, il avait l'air heureux, arpentait la ville en long et en large, se perdait dans ses ruelles, consacrait le plus clair de son temps à glisser sur le parquet des temples, à somnoler devant ces jardins à la beauté irréelle, d'une perfection suave. Il prenait des bus et arpentait la campagne, les collines étaient couvertes de forêts denses et mordorées, il longeait parfois des rivières et débouchait dans les champs, des rizières, des villages agricoles, il rentrait dans le soir, suivait les lignes de chemin de fer qui filaient étroites au milieu des maisons basses, tintement régulier, hypnotique, des signaux annonçant l'abaissement des barrières, il gagnait le fleuve livré aux hérons, aux buses, aux bancs de sable aux hautes herbes, glissant vers les montagnes qui partout tenaient la ville, l'encerclaient, la protégeaient. Tout l'émerveillait, tout était si simple et fluide, tout était à la fois si calme et vivant. Nathan répétait qu'il avait trouvé là-bas son rythme interne, sa pulsation, Nathan disait cette ville est mon cerveau, Natsume ne comprenait pas vraiment ce que ça voulait dire mais il devinait. L'idée d'un accord, d'une évidence. Le sentiment d'avoir trouvé un abri. Son milieu naturel. Vibration égale à l'intérieur à l'extérieur. Puis Nathan avait pris l'avion et durant plusieurs semaines Natsume n'avait plus eu de nouvelles. Jusqu'à cette lettre. Que je tenais entre mes mains.

– Je ne comprends pas. S'il était si bien ici, pourquoi est-il rentré?

Natsume me regarde, étonné par ma question.

– À ton avis? Il pensait mourir. Il allait mieux. Je suppose qu'il voulait retrouver ceux qu'il aimait. Se montrer sous un nouveau jour. Je ne sais pas. C'est à toi de me dire. C'est toi qui étais là après.

Natsume se lève et range autour de lui, sa dernière phrase me mord au sang. Il me demande à quelle heure je compte partir, ce que je compte faire. Je lui réponds la vérité. Je lui réponds que je ne sais pas, que demain je prendrai un train pour Osaka, que je vais sûrement rentrer en France, qu'il le faut bien, que mes enfants m'attendent, que mon mari s'inquiète, je prononce ces mots mais ils sont comme inventés, je ne les ressens pas vraiment, si je suis sincère je suis obligée de le dire, non, je ne les ressens pas vraiment. Natsume me souhaite bonne nuit, éteint les lumières, me laisse dans la pénombre, comme chaque soir. Il sait que je ne vais pas regagner ma chambre tout de suite, que j'aime fumer dans le noir, le rideau entrouvert laissant filtrer la lueur blanche du lampadaire éclairant la ruelle. Juste avant de quitter la pièce, il s'adresse à moi une dernière fois :

— Ah, au fait. Notre nouveau pensionnaire. C'est Ryu. Le mari de Midori.

III

Il n'est pas dix-huit heures et déjà le soir tombe. Le ciel est rouge, embrase la rade. De la terre ocre monte un mélange de réglisse, de romarin et de bois mouillé. Quelques maisons plus loin brûlent des feuilles. Il fait encore doux. Je bois une gorgée de whisky, un Islay, celui qu'aimait Nathan. Devant moi se dresse un massif rocheux planté de pins et cramoisi, des bosquets de chênes-lièges et d'argousiers, et les flaques azur des deux baies séparées par la pointe. Dès que j'ai posé le pied sur cette terrasse, il y a plus d'un mois maintenant, j'ai réalisé à quel point cet endroit m'avait manqué. Je ne sais plus pourquoi nous avions cessé d'y descendre : la lassitude des enfants, l'envie d'Alain de profiter de destinations plus exotiques, le manque de temps, que sais-je. Pourtant, si je regarde les choses en face, si je regarde en arrière, c'est ici que j'ai passé les heures les plus douces et lumineuses de ma vie. C'est ici que je me suis longtemps sauvée du pire. Toutes ces années, la lumière, la mer, les parfums, les roches rouges et les sentiers ont agi sur moi comme un baume, effaçant toute trace de fatigue, comblant les failles et les fissures, me rendant les forces qui me manquaient. Au moment de partir et de regagner Paris, je sentais parfois ma gorge se serrer et les larmes poindre. Je me trouvais ridicule, une enfant avant la rentrée des classes. À mon arrivée, il a suffi d'ouvrir les volets, de m'allumer une cigarette face à la mer, d'avaler mon whisky dans le vieux fauteuil à bascule, d'entendre s'élever les premières notes du disque de Billie Holiday que nous écoutions toujours ici, pour sentir quelque chose se dénouer un court instant, et passer le souffle heureux de saisons anciennes.

Je promène mon regard sur la terrasse. Le temps que nous avons vécu là Alain et moi, depuis nos premières vacances ensemble, se compte en mois, en années. En dix-sept ans rien n'a changé ou presque. La station est un peu désuète, hors du temps, mais elle l'a toujours été. À la saison basse, déserte, villas boutiques et restaurants fermés, elle le paraît plus encore. Je me lève, fais quelques pas dans la maison. Elle non plus n'a pas bougé. Les murs sont d'un blanc velouté. Le frère d'Alain a dû la repeindre cet été. Lui et sa femme passent ici des juillets bruyants et caniculaires. Le reste de l'année s'y succèdent leurs enfants déjà grands. Durant longtemps nous l'avons occupée à Noël, à la Toussaint ou à Pâques. Durant longtemps ces lits, ces miroirs, le vieux canapé, les carafes, les tableaux bleu et vert, ont constitué le décor immuable où les enfants s'ébrouaient, étincelants de joie, de vitalité. C'était un tel bonheur alors d'avoir du temps pour eux, de les couver du regard, les jours s'écoulaient comme un long trait de lumière, tout semblait léger et baigné d'or. Tout cela me paraît maintenant inconcevable. Qu'Anaïs et Romain aient pu être ces enfants-là, à demi nus jouant sur les pierres blondes de la terrasse, nageant les yeux ouverts dans l'eau turquoise et froide des calanques, ouvrant leurs cadeaux en plein air sous l'olivier paré de boules et de guirlandes, sabrant le champagne au jour de l'an sur la plage en croissant, blottis autour du feu chancelant, enroulés dans de vieilles couvertures de laine émeraude. Qu'Alain et moi ayons pu être ce couple uni, ces parents attentifs et disponibles. Que ce temps-là ait pu passer si vite, alors qu'il s'est avéré le plus heureux de notre vie, je n'en doutais déjà pas alors, et cette pensée souvent me nouait l'estomac tandis que je contemplais les gamins se couvrir de Nutella dans la lumière rousse, j'en doute moins encore à présent que s'annoncent les ruines.

Les enfants vont venir pour les vacances. Anaïs va mieux, me semble-t-il. Elle a repris l'école, consent à voir un psychologue, à s'alimenter. J'étais à Kyoto quand Alain m'a envoyé ce mail. C'était comme un appel au secours, il faisait front depuis plusieurs semaines déjà, n'avait pas voulu m'alarmer mais il n'y parvenait plus et la situation devenait préoccupante. Quand je suis arrivée à la maison il était là, avait pris deux jours de congé et m'a jeté un regard noir. J'ai tout de suite compris qu'il me tenait pour responsable. Je ne peux pas lui en vouloir. Pour le reste il a été si parfait. C'est lui qui m'a parlé d'ici quand je lui ai dit que je ne comptais pas rentrer, que j'allais m'établir à l'hôtel, le temps de trouver une solution. La maison était libre jusqu'à l'été, je pourrais y rester aussi longtemps que nécessaire, les enfants me rejoindraient pour les week-ends et les vacances. Quelques jours plus tard il m'a annoncé qu'il voyait quelqu'un, une collègue, il allait la présenter à Romain et Anaïs, il voulait mon accord. Je le lui ai donné, il ne m'a pas échappé combien ma décision de ne pas revenir à la maison avait pu le soulager, mais rien de tout cela ne m'a choquée. Depuis mon retour, et même bien avant, durant mon absence, Alain a fait preuve d'une délicatesse d'âme dont je le croyais devenu incapable, lessivé qu'il était par le travail, la pression qu'on lui imposait, qu'il s'imposait tout seul en visant les objectifs d'une carrière étincelante, d'un revenu élevé, d'une vie «haut de gamme», ce mot lui collait à la bouche depuis tant d'années, il le mâchait comme un vieux chewing-gum, avec une application mêlée de rage. Pas un instant il ne m'a posé de question, ne m'a poussée à me justifier. Sans que je le lui demande il a viré sur mon compte une part de notre épargne commune, histoire que je tienne quelques semaines, deux ou trois mois, le temps de régulariser la situation auprès des Assedic. Tout

au plus n'a-t-il pas pu s'empêcher de faire le lien entre
mon errance ces derniers mois, se soldant par mon départ
subit, et la dégringolade de notre fille, adolescente privi-
légiée solide et sans histoires, à ce point sans histoires que
ni moi ni lui ni personne ne s'était aperçu que depuis des
mois, depuis la mort de Nathan ne puis-je m'empêcher
de penser, elle avait cessé de manger et maigri de plusieurs kilos, séchait les cours et ne quittait plus la douceur
ouatée et floue des vapeurs de shit et de vodka mêlées. Il
avait fallu qu'Alain trouve des barrettes sous son matelas,
croise par hasard un de ses professeurs, lequel avait avoué
ne plus la reconnaître et s'alarmer d'un tel gâchis, il avait
fallu qu'elle soit victime d'un violent malaise pour qu'un
médecin se penche sur son cas et nous fasse découvrir
une réalité que nous avions pourtant sous les yeux : notre
fille n'allait pas bien, dérivait, s'éloignait inexorablement.
Les docteurs employaient les expressions usuelles, « signaux
de détresse », « crise de l'adolescence », mais ils n'avaient
besoin de me convaincre de rien, j'avais de la mémoire,
je pouvais ressentir précisément, physiquement, ce que
ressentait ma fille, je pouvais me glisser sous sa peau, dans
ses yeux son cerveau sans efforts, nous n'étions qu'une. Je
sais combien cette pensée peut choquer mais en la voyant
ainsi, me souriant faiblement, perdue, douloureuse, heureuse de me voir, de parler avec moi des heures durant
dans sa chambre, j'ai eu l'impression de la retrouver enfin,

j'ai eu l'impression de la reconnaître après l'avoir longtemps perdue, j'ai eu l'impression que de nouveau elle
était bien ma fille. De son côté, après l'émotion crue des
retrouvailles, Romain paraissait rassuré par mon retour,
qu'il n'en soit pas vraiment un ne semblait pas le per-
turber outre mesure, l'important était que je sois là, et la
perspective de passer week-ends et vacances dans le Sud
le réjouissait au plus haut point, pourvu que ses copains
puissent nous rejoindre.

La nuit a tout recouvert, la mer est une coulée satinée,
argentine sous la lune, scintillant de minuscules points
lumineux en bordure. Sur les collines s'allument quelques
maisons, la plupart sont inhabitées, ne servent qu'en été.
Je descends le sentier creusé parmi les chênes-lièges et les
oliviers, il longe des maisons crépies d'ocre aux tuiles
orange, encerclées de jardins secs dominés par de grands
pins, où fleuriront bientôt les premiers mimosas. Des pal-
miers au tronc d'écailles rousses, quelques citronniers,
s'agencent autour des piscines. Plus bas la mer s'étend
dans un feulement de lac suisse, le sable est froid, tout est
calme, c'est à peine si l'on entend ici ou là le bruissement
d'une voiture. Le néon bleu du restaurant blanchit la plage
alentour, se reflète dans l'eau en brisures outremer. La salle
est presque déserte. Deux trois habitués boivent une bière

au comptoir, des touristes italiens, allemands ou danois mangent près des baies vitrées. Je commande une bière pour commencer, après quoi je dînerai d'une daurade grillée, calme et paisible, dans cette respiration longue, profonde et légère qui m'est offerte depuis le début de mon séjour. Comme si je m'étais fondue dans la tiédeur, le repos, la langueur qui flottent dans l'air. Depuis mon arrivée, les journées passent sans dureté, sans accrocs, sans à-coups. Ce sont des jours souples et lumineux, des heures cachée dans les calanques où mes mains caressent la surface lisse des pierres chauffées, les yeux brûlés par la lumière d'or tombant sur l'eau turquoise, transparente, d'une tendresse inouïe. Des heures à marcher parmi les roches cramoisies, à fouler la poussière des chemins barrés de racines. Souvent je m'enfonce au hasard dans le massif s'élevant en surplomb du littoral, un désert montagneux où règne le silence, une garrigue incendiaire. Hier j'ai passé plusieurs heures dans une grotte creusée dans la roche, surprise par l'orage. La terre tremblait à chaque coup de tonnerre, le ciel était violet, lézardé d'éclairs brillants comme des lames. Mais je n'ai pas eu peur. Pas un instant. Quand la pluie a cessé, la nuit était presque là, je suis descendue à tâtons, ai glissé sur la roche humide. Des ronces me griffaient aux chevilles, le vent sifflait et se plaquait contre moi par bourrasques, une immense respiration montait du sol, un halètement, sous mes pieds la terre battait comme un muscle. J'ai regagné la voiture avant que la pluie reprenne et inonde le pare-brise. L'eau coulait par torrents entiers, dévalait les pentes en ravines furieuses, couvrait la route d'un glacis rapide. La nuit était épaisse et floue, les gouttes martelaient la tôle, un vacarme de fin du monde. Je me suis endormie là. À mon réveil la nuit était si claire, la lune blanchissait un ciel punaisé. J'ai regagné la maison. Il était trois heures du matin. J'ai installé le vieux fauteuil à bascule sur la terrasse, sorti la vieille couverture éme-raude, et j'ai veillé jusqu'à l'aube. Le soleil rose éclairait un monde refait, tout vibrait sous la lumière neuve.

Au dessert comme toujours le patron vient s'asseoir avec moi, me sert un gobelet de vieil armagnac. C'est un grand type au visage sec, une cinquantaine d'années accusée par le soleil et le sel, des cheveux brûlés d'un gris presque blanc. Il a une proposition à me faire. Il a besoin d'aide. Si ça m'intéresse, le poste est pour moi. La paie n'est pas lourde mais si je le souhaite, il peut me louer pour presque rien un petit appartement à trois pas du restaurant. Il me laisse réfléchir mais l'offre est sérieuse. Nous buvons ensemble face à la mer, il me donne des cigarillos, nous nous taisons, tout est merveilleusement doux, un frisson ride la surface, il me semble que je pourrais passer ma vie entière ici, regarder défiler les saisons, varier la lumière, changer les couleurs, cela pourrait suffire : sentir le soleil sur ma peau, le vent sur mon visage, regarder la pluie sous l'abri de la terrasse, nager des heures durant dans ces eaux limpides, me perdre dans les collines, marcher jusqu'à sentir mes cuisses brûler, mes mollets se tendre, m'endormir dans les sables, lire à même la roche brûlante, sentir l'air parfumé entrer dans mes poumons, irriguer chaque parcelle de mon corps. Nous nous séparons d'une main serrée, la sienne est d'une douceur inattendue. Je regagne la maison perchée sur la colline, j'ai encore à y faire, la chambre-mezzanine à préparer. Louise sera là demain vers seize heures, elle va passer les derniers jours de sa grossesse ici, le bébé naîtra dans la maternité de la ville voisine, ce sera un garçon et elle le nommera Nino, ils resteront quelques jours, quelques semaines, quelques mois. Nous verrons bien. Son ventre est déjà très rond, sur une fille si fine, brindille qu'un coup de vent suffirait à souffler, il semble un ajout, une extension. À mon retour nous nous sommes beaucoup vues. Nous avons parlé de Nathan, du Japon, de la vie qu'ils auraient dû vivre là-bas. Je lui ai donné la lettre, je la lui ai donnée pour chasser les derniers doutes, les dernières questions, même si c'est illusoire, même si rien n'effacera le regard de Nathan juste avant de claquer la porte, de dévaler l'escalier et de s'engouffrer dans sa voiture. Je l'avais lue deux mois plus tôt, dans le train qui me menait à Kyoto. Je l'ai relue cent fois depuis, je la sais par cœur. En la lisant, par endroits il me semblait l'avoir écrite, sentir chaque phrase couler dans ma gorge, battre au creux de ma langue. Nathan y annonçait à Natsume sa venue et sa renaissance. Il y parlait de Louise, de l'enfant, du départ pour Kyoto, où il avait trouvé le repos, un répit, un refuge. La possibilité de tout reprendre à zéro, avec Louise et l'enfant, cellule neuve et déracinée, dans la musique de cette langue étrangère dont il avait appris les rudiments, musique neuve elle aussi, vierge, où tout lui semblait à réapprendre, dans ce pays où il n'avait pas d'histoire, où tout lui paraissait fluide et doux, où comme par enchantement il sentait quelque chose en lui ralentir, s'apaiser. Comme si soudain s'effaçaient la lutte, les vents contraires, le cours inverse des choses, comme s'il ne s'agissait plus d'affronter, de combattre, d'aiguiser, mais d'enfin se laisser porter. Nathan parlait de l'urgence qu'il y avait pour lui maintenant à fuir, il sentait ses démons sur ses traces, prêts à l'engloutir de nouveau, il sentait bouillir la lave qui toujours l'anéantissait, le brûlait puis le laissait à terre. Il pensait la semer pour de bon cette fois. Il pensait la laisser s'user là-bas. J'ai toujours pensé que j'étais condamné, écrivait-il. Et cette pensée m'a toujours privé d'horizon. Bientôt je vais être père. Cette pensée va s'évanouir d'elle-même, je n'aurai plus le choix, et l'horizon devra s'ouvrir devant moi. J'ai toujours pensé que quelque chose me rongeait, une bête un rapace, j'ai tout fait pour l'abattre, je l'ai noyé dans l'alcool, j'ai voulu l'éteindre dans la rage, j'ai rêvé de vivre à son niveau, rongé, ne tenant plus qu'à un nerf, aiguisé, tranchant, j'ai pensé y trouver la lumière, la fulgurance, l'intensité, j'ai cherché le grand incendie, le monde de travers, embrasé, déglingué, je n'ai rien trouvé du tout. Je ne crois plus qu'à son usure. Je cherche un abri, un horizon. Je cherche à me dépouiller. Louise et l'enfant m'y obligeront. Vivre ici aussi. Je voudrais trouver le calme, je voudrais être nu, transparent, transpercé, liquide, je voudrais être la rivière, le galet, l'arbre. Me laisser griller par la lumière, m'en nourrir, sentir le vent, l'air limpide, je voudrais qu'on me délivre, je voudrais respirer, sentir. Je voudrais qu'on m'accorde. Une grâce. Un répit. Je voudrais qu'on m'accorde. Qu'on me réconcilie. Nathan parlait de son livre, des livres qu'il écrirait, il en parlait avec une modestie nouvelle, une humilité dont j'aime à penser qu'elle était sincère, il n'était qu'au début du parcours, il avait conscience du travail à accomplir, il attendait un retour, un conseil, de la part des éditeurs, pourquoi pas une publication. Il voyait dans cette éventualité un encouragement, une validation, une légitimation, quand personne n'avait jamais cru en lui, surtout pas sa famille, même pas sa sœur, sa jumelle, Sarah, même pas moi. La lettre s'achevait sur mon nom, il rêvait du jour où il m'enverrait un billet d'avion et me demanderait de le rejoindre. Il rêvait du jour où

il se présenterait à moi, neuf et refait, où il m'inviterait
dans son appartement, me ferait visiter la ville, il rêvait de
nous voir marcher Louise et moi, côte à côte sur les berges
du fleuve, il rêvait de me faire ce cadeau, cette surprise :
sa vie nouvelle, sa peau neuve, son enfant, ce pays, cette
ville, qu'il devinait à ma mesure exacte, tombant parfaitement, ainsi qu'on le dit d'un vêtement.

À Kyoto j'avais pris une chambre dans un hôtel au pied
des collines. Je me souviens de jours parfaits, de jours
légers, silencieux et limpides. Des jours à traverser la ville,
à longer des cours d'eau, à me perdre parmi les arbres,
les jardins, les temples déserts où résonnaient des prières.
Des jours à me fondre dans la foule des galeries marchandes, à marcher les yeux rivés aux montagnes mauves.
Des jours à me laisser porter par la ville, à me diluer en
elle, des jours de vacance. Rien n'obstruait, rien n'en-
travait. J'ai traversé le pont sur la lune, me suis assise sous
la galerie de la cabane aux kakis tombés, j'ai frayé sous des
milliers de torii orange sinuant parmi les cèdres, marché
sous les bambous, contemplé mille statues de Jizo au milieu
desquelles gisaient des feuilles rouge sang, longé l'étang
lisse bordant les champs jaunes et verts du Daikaku Ji, passé
des ponts de bois rouge, me suis perdue dans des forêts
où chuchotaient des cascades silencieuses, j'ai parcouru
les berges de la Kamo où s'exerçaient des musiciens, des
danseurs, roulaient des vélos, se donnaient rendez-vous

lycéens et étudiants, me suis égarée dans les rues anciennes regorgeant d'étoffes, de pâtisseries gluantes, de poteries, de sanctuaires où veillaient renards et souris, j'ai suivi sans jamais m'en lasser le canal du chemin des philosophes, bordé d'arbres, de temples et de jardins délicats, salles de prière traversées par le vent frais, asséchées par le silence, compositions de pierres au milieu de cailloux blancs étincelants, bordées de mousse tendre et phosphorescente. Au bout d'une semaine j'ai reçu un message, il provenait d'un célèbre éditeur parisien, il avait lu le texte de Nathan, il trouvait ça pas mal, plein de défauts mais aussi de promesses, il lui semblait entendre quelque chose, une voix s'élever, une voix unique, singulière, et c'était là ce qui lui importait avant tout. Il souhaitait entrer en contact avec lui. Je lui ai répondu aussitôt, j'ai dit la vérité, que Nathan était mon frère et qu'il était mort. Le lendemain, un nouveau message m'indiquait que dans ces conditions, la publication serait impossible, qu'avant de publier ce texte, c'était cet auteur, et la voix qu'il avait cru entendre dans ses pages, la promesse qu'elles contenaient, qu'il avait envisagé d'éditer. Quant au roman, il nécessitait en tout état de cause de nombreuses coupes, des reprises et ne pouvait être présenté en l'état. Il était désolé. J'ai répondu que je comprenais, je l'ai remercié du fond du cœur. Peu m'importait qu'on publiât ce texte, ce que ce type venait de me donner, de me rendre, comptait plus que tout.

Quelques jours plus tard Alain m'écrivait et c'était un cri d'alarme, un signal de détresse. J'ai pris le premier avion à Osaka, de Roissy j'ai gagné la maison et la chambre d'Anaïs. Elle dormait. Romain était assis dans un fauteuil à côté du lit, il regardait la télévision sans le son, son iPod vissé sur les oreilles. Quand il m'a vue son visage s'est éclairé, une seconde il m'a semblé y trouver la trace ancienne mais vibrante d'un enfant à peine enfoui, d'un enfant qui avait été le mien, une part de moi, à peine discernable de mon propre corps. Il s'est jeté dans mes bras et je l'ai serré, il pleurait et marmonnait qu'il m'aimait. J'ai fondu en larmes à mon tour, j'étais désolée, je les avais abandonnés j'étais désolée, je l'aimais moi aussi. Romain s'est écarté de moi, m'a regardée droit dans les yeux et il a prononcé ces mots, « tu as fait ce que tu avais besoin de faire, maman. Tu n'as abandonné personne ». Puis il m'a demandé de lui raconter le Japon. Je me suis exécutée, la gorge nouée. J'ai parlé en les regardant, mes deux enfants, j'ai parlé en pensant à Nathan, à sa mort, à ma propre vie, à ses derniers mois, ses dernières années. Je m'étais tellement trompée. Sur tout. Sur chacun. Sur moi. Toutes ces années, je m'étais tellement échinée à me perdre, à me fondre dans le décor, à me noyer dans la masse. Je m'étais noyée tout court.

REMERCIEMENTS

Merci à
Jean-Paul Ollivier, directeur de la Villa Kujoyama à Kyoto, ainsi
qu'à ses collaboratrices : Arata Okano et Masako Kotera
Cultures France
Brigitte Proucelle
Emmanuelle Vial
qui m'ont permis de séjourner au Japon et d'y puiser la matière
de ce livre et d'autres à venir.
Merci aussi à
Alix Penent et Laurence Renouf, pour leurs regards aiguisés et
leurs inestimables conseils,
Camille Paulian, Virginie Petracco et Pierre Hild pour leur
patience et leur soutien, au fil des années,
Amélie Dor, de l'autre côté de la baie,
Olivier Cohen, pour sa confiance depuis bientôt dix ans.

Réalisation : PAO Éditions du Seuil
Achevé d'imprimer par CPI-Firmin-Didot
à Mesnil-sur-l'Estrée
Dépôt légal : août 2010. N° 746 (100297)
Imprimé en France